D0332683

FRANÇOISE SAGAN

Bonjour tristesse

ROMAN

ULLSTEIN BÜCHER

ULLSTEIN BUCH NR. 135
IM ULLSTEIN TASCHENBÜCHER-VERLAG GMBH., FRANKFURT/M.
Titel der französischen Originalausgabe: Bonjour tristesse
Erschienen 1954 bei René Julliard, Paris
Ins Deutsche übertragen von Helga Treichl

Umschlagentwurf: Hermann Rastorfer
Mit Genehmigung des Verlages Ullstein u. Co., GmbH., Wien

Gedruckt im Ullsteinhaus Berlin

Adieu tristesse
Bonjour tristesse
Tu es inscrite dans les lignes du plafond
Tu es inscrite dans les yeux que j'aime
Tu n'es pas tout à fait la misère
Car les lèvres les plus pauvres te dénoncent
Par un sourire
Bonjour tristesse
Amour des corps aimables
Puissance de l'amour
Dont l'amabilité surgit
Comme un monstre sans corps
Tête désappointée
Tristesse beau visage

P. ELUARD
(La vie immédiate)

Verlaß mich Traurigkeit
Kehr wieder Traurigkeit
Du bist in das Gebälk meiner Träume geschrieben
Du bist in das Aug' das ich liebe geschrieben
Du bist nicht ganzes letztes Elend
Denn die Lippen der Ärmsten zeigen dich an
Mit einem Lächeln
Komm Traurigkeit
Liebe liebenswerter Körper
Macht der Liebe
Deren Liebeswillen aufsteigt
Wie ein Ungeheuer ohne Leib
Enttäuschtes Haupt
Traurigkeit
Schönes Antlitz

ERSTER TEIL

ERSTES KAPITEL

Ich zögere, diesem fremden Gefühl, dessen sanfter Schmerz mich bedrückt, seinen schönen und ernsten Namen zu geben: Traurigkeit. Es ist ein so ausschließliches, so egoistisches Gefühl, daß ich mich seiner fast schäme – und Traurigkeit erschien mir immer als ein Gefühl, das man achtet. Ich kannte es nicht; ich hatte Kummer empfunden, Bedauern und manchmal Reue. Jetzt hüllt mich etwas ein wie Seide, weich und ermattend, und trennt mich von den anderen.

Ich war siebzehn Jahre alt in jenem Sommer. Und ich war vollkommen glücklich. Die »anderen« waren mein Vater und Elsa, seine Geliebte. Diese Zusammenstellung mag befremdend klingen, und ich will sie gleich erklären. Mein Vater war vierzig Jahre alt und seit fünfzehn Jahren verwitwet; er war jung, voller Lebenskraft, voller Möglichkeiten; wie hätte ich, als ich zwei Jahre zuvor aus dem Pensionat gekommen war, nicht verstehen sollen, daß er mit einer Frau zusammenlebte? Daß er diese Frau alle sechs Monate wechselte, sah ich weniger schnell ein. Aber sein Charme, das neue, unbeschwerte Leben, das ich führte, und meine Veranlagung halfen mir, auch das sehr bald zu verstehen. Er war ein leichtlebiger Mensch, geschickt in seinem Beruf, immer begierig nach neuen Erlebnissen und schnell ihrer überdrüssig – und er gefiel den Frauen. Es machte mir keine Schwierigkeiten, ihn von ganzem Herzen zu lieben, denn er war gut, großzügig, fröhlich und voller Zuneigung für mich. Ich kann mir keinen besseren und unterhaltsameren Freund vorstellen als ihn. Zu Beginn jenes Sommers ging er in seinem Zartgefühl sogar so weit, mich zu fragen, ob die Gesellschaft von Elsa, seiner damaligen Geliebten, mir während der Ferien nicht lästig sein würde. Aber ich redete ihm im Gegenteil zu, denn ich wußte, daß er Frauen brauchte und daß uns Elsa im übrigen nicht auf die Nerven gehen würde. Sie war groß und rothaarig und mondän und trat in den Ateliers und Bars der Champs Elysées auf. Sie war sympathisch, eher einfach, und stellte keine großen Ansprüche. Außerdem freuten mein Vater und ich uns zu sehr darauf, wegzufahren, um uns durch irgend etwas stören zu lassen. Er hatte eine große, weiße, bezaubernde Villa am Mittelmeer gemietet, und wir träumten schon seit den ersten heißen Junitagen von ihr. Sie lag abseits, auf einem Felsvorsprung, der in das Meer hinausragte, und ein Fichtenwald verbarg sie vor der Straße; ein Ziegenpfad schlängelte sich zu einer kleinen, goldgelben Bucht hinab, wo das Meer sich zwischen roten Felsen wiegte.

Die ersten Tage waren strahlend schön. Wir verbrachten viele Stunden, ganz zerschlagen von der Hitze, am Strand und nahmen langsam eine gesunde, goldbraune Farbe an. Nur die arme Elsa wurde krebsrot und schälte sich unter furchtbaren Qualen. Mein Vater machte komplizierte Beinübungen, um die ersten Ansätze eines Bauches zu bekämpfen, der sich mit seiner Rolle eines Don Juan nicht hätte vereinbaren lassen. Ich war vom frühen Morgen an im Wasser; es war frisch und durchsichtig, und ich grub mich hinein und tobte mich aus. Ich wollte mich von allen Schatten und allem Schmutz der Stadt reinigen. Dann streckte ich mich im Sand aus, ergriff eine Handvoll und ließ ihn in einem weichen, gelblichen Strahl durch meine Finger rinnen. Er verrinnt wie die Zeit, sagte ich mir – was für ein einfacher Gedanke, und wie angenehm war es, einfache Gedanken zu haben! Es war Sommer.

Am sechsten Tag sah ich Cyril zum erstenmal. Er fuhr in einem kleinen Segelboot an der Küste entlang und kenterte gerade vor unserer Bucht. Ich half ihm, seine Sachen zu retten, und inmitten unseres Gelächters erfuhr ich, daß er Cyril hieß, daß er Rechtswissenschaft studierte und daß er mit seiner Mutter in einer benachbarten Villa die Ferien verbrachte. Er hatte das Gesicht eines Südländers, sehr dunkel, sehr offen, und es ging etwas Beschützendes und eine wohltuende Ruhe von ihm aus, die mir gefiel. Im allgemeinen mied ich die Universitätsstudenten. Sie waren brutal, zu sehr mit sich selbst und vor allem mit ihrem Jungsein beschäftigt, in dem sie den Stoff für ein Drama oder den Vorwand für ihre Lebensmüdigkeit sahen. Ich hatte nicht viel übrig für die Jugend. Ich zog die Freunde meines Vaters vor, Männer von Vierzig, die mich mit ausgesuchter, fast gerührter Höflichkeit behandelten und mir mit einer Zartheit begegneten, in der etwas von einem Vater und etwas von einem Liebhaber war. Aber Cyril gefiel mir. Er war groß, manchmal schön, von einer Schönheit, die Vertrauen einflößte. Mein Vater hatte einen so starken Widerwillen gegen Häßlichkeit, daß wir oft mit ausgesprochen dummen Menschen verkehrten. So weit ging es bei mir nicht, aber ich empfand vor Menschen, die ohne jeden physischen Charme waren, eine Art von Beklemmung. Es schien ihnen etwas Wesentliches zu mangeln. Ihr Verzicht, zu gefallen, berührte mich peinlich wie ein Gebrechen. Denn was wollten wir, wenn nicht gefallen? Ich weiß heute noch nicht, ob sich hinter dieser Freude an der Eroberung ein Überschuß an Lebenskraft verbirgt, ob es die Lust ist, zu beherrschen, oder das heimliche, uneingestandene Verlangen nach Selbstbestätigung, nach Anerkennung.

Cyril verließ mich mit dem Vorschlag, mir das Segeln beizubringen. Ich ging zum Abendessen nach Hause und war in Gedanken so mit ihm beschäftigt, daß ich mich an der Unterhaltung fast gar nicht beteiligte; ich bemerkte kaum, wie nervös mein Vater war. Nach dem Essen setzten wir uns, wie immer am Abend, auf die Terrasse. Der Himmel war mit Sternen übersät. Ich blickte sie an und hoffte im stillen, daß schon jetzt – vor der Zeit – Sternschnuppen fallen würden. Aber es war erst Anfang Juli, und sie rührten sich nicht. Auf dem Kies der Terrasse sangen die Grillen. Es mußten Tausende sein, die, berauscht von der Hitze und vom Mond, ihren seltsamen Ruf ganze Nächte lang erklingen ließen. Man hatte mir einmal erklärt, daß sie nur ihre Flügeldecken aneinander rieben, aber ich wollte lieber an einen Gesang der Kehle glauben, triebhaft wie der Schrei der Katzen, wenn sie auf Liebesabenteuer ausgehen. Wir fühlten uns wohl; nur die kleinen Sandkörner zwischen meiner Haut und meiner Hemdbluse bewahrten mich vor den sanften Angriffen des Schlafes. Und dann räusperte sich mein Vater und richtete sich in seinem Liegestuhl auf.

»Ich habe euch einen neuen Gast zu melden«, sagte er.

Ich schloß verzweifelt die Augen. Wir hatten unsere Ruhe zu sehr genossen, sie konnte nicht andauern.

»Sagen Sie schnell, wer es ist«, rief Elsa, die immer begierig nach Neuigkeiten aus der großen Welt war.

»Anne Larsen«, sagte mein Vater und wandte sich mir zu.

Ich blickte ihn an, zu erstaunt, um darauf zu reagieren.

»Ich hatte ihr angeboten zu kommen, falls die Arbeit an den neuen Kollektionen sie zu sehr anstrengen würde, und sie . . . sie kommt.«

Daran hätte ich nie gedacht. Anne Larsen war eine alte Freundin meiner armen Mutter und hatte nur sehr wenig Kontakt mit meinem Vater. Aber als ich vor zwei Jahren aus dem Pensionat gekommen war und mein Vater nicht wußte, was er mit mir anfangen sollte, schickte er mich zu ihr. Innerhalb einer Woche hatte sie mich mit Geschmack angezogen und mir Manieren beigebracht. Damals begann ich leidenschaftlich für sie zu schwärmen, was sie geschickt auf einen jungen Mann ihrer Umgebung abzulenken wußte. Und so schuldete ich ihr meine erste elegante Garderobe und meine erste Liebe und war ihr dankbar dafür. Sie war zweiundvierzig, sehr verführerisch, sehr umworben, mit einem schönen, hochmütigen Gesicht voll müder Gleichgültigkeit. Diese Gleichgültigkeit war die einzige Eigenschaft, die man ihr vorwerfen konnte. Sie war liebenswürdig und unnahbar. Alles an ihr drückte einen festen Willen und eine Herzensruhe aus, die einschüchternd wirkten. Obgleich sie geschieden und frei war, wußte niemand etwas von einem Liebhaber. Wir hatten im übrigen einen anderen Bekanntenkreis: Sie verkehrte mit klugen, wohlerzogenen Menschen und wir mit lärmenden, lebenshungrigen Leuten, von denen mein Vater nur verlangte, daß sie schön und unterhaltsam seien. Ich glaube, daß sie meinen Vater und mich ein wenig verachtete, weil wir uns den seichten Vergnügungen verschrieben hatten. Sie verachtete jede Übertreibung. Hie und da aßen wir aus beruflichen Gründen zusammen — sie beschäftigte sich mit Mode und mein Vater mit Reklame —; sonst verband uns nichts als die Erinnerung an meine Mutter und meine Bemühungen um sie, denn wenn sie mich auch einschüchterte, so bewunderte ich sie doch sehr. Kurz und gut, der Zeitpunkt für ihre plötzliche Ankunft erschien vielleicht nicht ganz passend, wenn man an Elsas Gegenwart und Annes Ansichten über Erziehung dachte.

Nach einer Menge von Fragen nach Annes gesellschaftlicher Stellung ging Elsa hinauf, um sich schlafen zu legen. Ich blieb mit meinem Vater allein und setzte mich auf die Stufen zu seinen Füßen. Er beugte sich zu mir herab und legte mir beide Hände auf die Schultern:

»Warum bist du so mager, mein Liebes? Du schaust aus wie eine verwilderte Katze. Wie gern hätte ich eine schöne, blonde, vollschlanke Tochter mit sanften Porzellanaugen und . . .«

»Darum handelt es sich nicht«, sagte ich. »Warum hast du Anne eingeladen? Und warum hat sie angenommen?«

»Vielleicht, um deinen alten Vater zu sehen. Man weiß nie.«

»Du bist nicht der Typ, der Anne interessiert«, sagte ich. »Sie ist zu intelligent, sie hat zuviel Selbstachtung. Und Elsa? Hast du an Elsa gedacht? Kannst du dir die Gespräche zwischen Elsa und Anne vorstellen? Ich nicht.«

»Daran habe ich nicht gedacht«, gab er zu. »Das ist wahr, es wird furchtbar werden. Cécile, mein Liebes, sollten wir nicht vielleicht nach Paris zurückkehren?«

Er rieb meinen Nacken und lachte leise. Ich drehte mich um und blickte ihn an. Zwischen lustigen kleinen Falten blitzten seine dunklen Augen; die Lippen waren leicht geöffnet. Er sah aus wie ein Faun. Ich mußte mit ihm lachen, wie immer, wenn er in Schwierigkeiten geriet.

»Mein alter Komplice«, sagte er, »was würde ich ohne dich tun?«

Und seine Stimme klang so überzeugend, so zärtlich,

daß ich wußte, er wäre wirklich unglücklich gewesen. Bis spät in die Nacht hinein sprachen wir über die Liebe und ihre Komplikationen, die in den Augen meines Vaters nur eingebildete waren. Er weigerte sich konsequent, Begriffe wie Treue, Ernst und Verpflichtung gelten zu lassen. Er erklärte mir, daß sie willkürlich und unfruchtbar seien. Aus jedem anderen Munde hätte mich das schockiert. Aber ihn kannte ich; bei ihm schloß das weder Zärtlichkeit noch Hingabe aus. Er wußte und wollte ja, daß sie vorübergingen, und konnte ihnen daher um so leichter nachgeben. Für mich hatte diese Auffassung einen großen Reiz: rasche, heftige und vorübergehende Gefühle. Ich war nicht in dem Alter, das von Treue betört wird. Ich wußte nicht viel von der Liebe: Rendezvous, Küsse und Überdruß.

ZWEITES KAPITEL

Wir erwarteten Anne erst in einer Woche. Ich nützte diese letzten Tage wirklicher Ferien aus. Wir hatten die Villa für zwei Monate gemietet, aber ich wußte, daß es nach Annes Ankunft nicht mehr möglich sein würde, sich völlig zu entspannen. Anne gab den Dingen einen festen Umriß, den Worten einen Sinn, den mein Vater und ich uns gern entschlüpfen ließen. Sie stellte Regeln für guten Geschmack und gutes Benehmen auf, von denen man, ob man wollte oder nicht, Notiz nehmen mußte, wenn sie einen auf eine bestimmte Art anblickte, wenn sie verletzt schwieg oder sich plötzlich in sich zurückzog. Das war zugleich aufregend und ermüdend und schließlich auch demütigend, denn ich spürte, daß sie recht hatte.

Am Tage ihrer Ankunft wurde beschlossen, daß mein Vater und Elsa sie am Bahnhof von Fréjus abholen sollten. Ich weigerte mich energisch, an dieser Expedition teilzunehmen. In einem letzten, verzweifelten Versuch, die Situation zu retten, schnitt mein Vater sämtliche Gladiolen ab, die im Garten wuchsen, um sie Anne beim Aussteigen aus dem Zug zu überreichen. Ich gab ihm nur den Rat, die

Blumen nicht Elsa tragen zu lassen. Um drei Uhr, nachdem sie fort waren, ging ich zum Strand hinunter. Es war unbeschreiblich schwül. Ich legte mich in den Sand und war schon halb eingeschlafen, als Cyrils Stimme mich aufweckte. Ich öffnete die Augen: Der Himmel war weiß, wie ausgelöscht von der Hitze. Ich gab Cyril keine Antwort; ich hatte keine Lust, mit ihm zu reden, ich wollte mit niemandem reden. Der Sommer hatte mich mit der ganzen Gewalt seiner Hitze in den Sand gedrückt; meine Arme waren schwer, mein Mund war ausgetrocknet.

»Sind Sie tot?« fragte er. »Von weitem schauen Sie aus wie verlassenes Strandgut...«

Ich lächelte. Er setzte sich neben mich, und mein Herz begann hart und dumpf zu klopfen, denn seine Hand hatte meine Schulter gestreift. Während der letzten Woche waren wir infolge meiner ausgezeichneten Segelmanöver viele Male eng umschlungen ins Meer gestürzt, und ich hatte nicht das geringste dabei empfunden. Aber heute genügten die Hitze, mein Halbschlaf und diese ungeschickte Bewegung, und etwas in mir war mit sanftem Schmerz zerrissen. Ich wandte ihm den Kopf zu. Er blickte mich an. Und ich begann ihn zu sehen, wie er war: ruhig, ausgeglichen und anständig. Wahrscheinlich war er sittenstrenger, als es in seinem Alter üblich ist, und daher schockierte ihn unsere seltsame Art von Familienleben zu dritt. Er war zu gutmütig oder zu schüchtern, um es mir zu sagen, aber ich spürte es an den schiefen, grollenden Blicken, die er meinem Vater zuwarf. Er hätte gern gesehen, daß es mich gequält hätte. Aber es quälte mich nicht; das einzige, was mich im Augenblick beunruhigte, waren sein Blick und die dumpfen Schläge meines Herzens. Er neigte sich zu mir. Ich dachte an die letzten Tage dieser Woche, an mein Vertrauen, an die Ruhe, die ich in seiner Nähe empfunden hatte, und es tat mir leid, daß dieser große, etwas schwere Mund jetzt auf mich zukam.

»Cyril«, sagte ich, »wir waren so glücklich ...«

Er küßte mich sanft. Ich blickte den Himmel an; dann sah ich nur noch rote Lichter unter meinen geschlossenen Lidern aufblitzen. Und endlose Minuten verstrichen, voll Wärme, Betäubung, dem Geschmack der ersten Küsse und Seufzern. Das Hupen eines Autos trieb uns wie Diebe auseinander. Ich verließ Cyril ohne ein Wort und ging zur Villa hinauf. Es überraschte mich, daß sie schon zurück waren. Der Zug von Anne konnte noch nicht angekommen sein. Trotzdem sah ich sie auf der Terrasse, wie sie aus ihrem eigenen Wagen stieg.

»Das ist ja ein Dornröschenschloß!« sagte sie. »Wie braun du geworden bist, Cécile! Ich freue mich sehr, dich zu sehen!«

»Ich auch«, sagte ich. »Aber kommen Sie aus Paris?«

»Ja, ich habe es vorgezogen, im Auto zu fahren; übrigens bin ich todmüde.«

Ich führte sie auf ihr Zimmer. Ich öffnete das Fenster in der Hoffnung, Cyrils Boot zu entdecken, aber es war verschwunden. Anne hatte sich auf das Bett gesetzt. Ich sah die leichten Schatten unter ihren Augen.

»Diese Villa ist bezaubernd«, seufzte sie. »Wo ist der Herr des Hauses?«

»Er ist mit Elsa zum Bahnhof gefahren, um Sie abzuholen.«

Ich hatte ihren Koffer auf einen Sessel gestellt, und als ich mich wieder zu ihr umdrehte, erschrak ich. Ihr Gesicht war plötzlich verfallen, ihr Mund zitterte.

»Elsa Mackenbourg? Er hat Elsa Mackenbourg hierher mitgenommen?«

Ich wußte nichts zu erwidern. Verblüfft blickte ich sie an. Nie hatte ich dieses Gesicht anders als ruhig und beherrscht gesehen, und plötzlich war es meinem Erstaunen so völlig preisgegeben!... Durch die Bilder hindurch, die meine Worte heraufbeschworen hatten, starrte sie mich blicklos an. – Endlich sah sie mich und wandte sich ab.

»Ich hätte euch früher benachrichtigen sollen«, sagte sie, »aber ich hatte es plötzlich so eilig, fortzukommen. Ich war so müde...«

»Und jetzt...« fuhr ich mechanisch fort.

»Jetzt was?« sagte sie.

Ihr Blick war fragend, hochmütig. Es hatte sich nichts ereignet.

»Jetzt sind Sie angekommen«, sagte ich albern und rieb mir die Hände. »Ich bin sehr froh, daß Sie da sind, Anne. Ich werde unten auf Sie warten; wenn Sie etwas trinken wollen, es ist alles da.«

Ich ging, irgend etwas vor mich hinstammelnd, aus dem Zimmer und die Stiege hinunter. Ich war völlig verwirrt und wußte nicht, was ich denken sollte. Warum dieses Gesicht, diese verstörte Stimme, diese plötzliche Schwäche? Ich setzte mich auf ein Sofa und schloß die Augen. Ich versuchte mir all jene anderen, harten, beruhigenden Gesichter von Anne wieder vorzustellen: ihr ungezwungenes, ihr ironisches, ihr herrisches Gesicht. Die Entdeckung dieses verwundbaren Gesichtes rührte und reizte mich zugleich. Liebte sie meinen Vater? War es möglich, daß sie ihn liebte? Er entsprach so gar nicht ihrem Geschmack. Er war schwach, leichtsinnig, manchmal weichlich. Aber vielleicht war es nur moralische Entrüstung und die Müdigkeit nach der Reise. Ich verbrachte eine ganze Stunde damit, Vermutungen anzustellen.

Um fünf Uhr kam mein Vater mit Elsa zurück. Ich sah ihn aus dem Auto steigen und versuchte, mir darüber klarzuwerden, ob Anne ihn lieben könne. Er kam auf mich zu mit raschen Schritten, den Kopf leicht zurückgelegt. Er lächelte. Ich dachte: Natürlich kann Anne ihn lieben, wer könnte ihm widerstehen!

»Anne war nicht da«, rief er mir zu. »Hoffentlich ist sie nicht aus dem Zug gefallen.«

»Sie ist in ihrem Zimmer«, sagte ich, »sie ist im Auto gekommen.«

»Nein, das ist ja herrlich! Jetzt brauchst du ihr nur noch die Blumen hinaufzubringen.«

»Sie haben Blumen für mich gekauft?« erklang Annes Stimme. »Das ist wirklich lieb von Ihnen.«

Sie kam die Treppe herunter, um ihn zu begrüßen –

lächelnd, entspannt, in einem Kleid, das nie in einem Koffer gewesen zu sein schien. Sie kommt erst jetzt herunter, nachdem sie den Wagen gehört hat, dachte ich traurig. Sie hätte auch etwas früher kommen können, um sich mit mir zu unterhalten, und wenn sie nur über mein Examen mit mir geredet hätte, das ich im übrigen nicht bestanden hatte! Dieser letzte Gedanke tröstete mich.

Mein Vater stürzte auf sie zu und küßte ihr die Hand. »Ich habe eine ganze Viertelstunde lang mit diesen Blumen im Arm und einem dummen Lächeln auf den Lippen auf dem Bahnsteig gestanden. Gott sei Dank, daß Sie da sind! Kennen Sie Elsa Mackenbourg?«

Ich sah weg.

»Wir haben uns sicher schon getroffen«, sagte Anne sehr liebenswürdig. »Mein Zimmer ist herrlich, es ist zu nett von Ihnen, daß Sie mich eingeladen haben, Raymond, ich war sehr müde.«

Mein Vater seufzte hörbar auf. In seinen Augen ging alles gut. Er machte Konversation, entkorkte Flaschen. Aber ich sah einmal Cyrils leidenschaftliches Gesicht vor mir und dann Annes, beide gezeichnet von heftigen Gefühlen, und fragte mich, ob diese Ferien so einfach sein würden, wie mein Vater es zu glauben schien.

Unser erstes Abendessen verlief sehr vergnügt. Mein Vater und Anne sprachen über ihre gemeinsamen Bekannten, die zwar nicht zahlreich, aber von besonderer Eigenart waren. Ich unterhielt mich ausgezeichnet, bis zu dem Moment, da Anne erklärte, der Sozius meines Vaters sei mikrozephal. Dieser Mann trank zwar sehr viel, aber er war sympathisch, und mein Vater und ich hatten ein paar hübsche Abende mit ihm verbracht.

Ich protestierte.

»Lombard ist komisch, Anne. Ich habe ihn schon sehr amüsant erlebt.«

»Aber du mußt zugeben, daß er trotzdem nicht ganz voll zu nehmen ist, und selbst sein Humor . . .«

»Er hat vielleicht nicht die landläufige Art von Intelligenz, aber . . .«

Sie unterbrach mich mit milder Nachsicht:

»Was du Arten von Intelligenz nennst, sind nur ihre Reifegrade.«

Diese knappe und endgültige Art ihrer Formulierung entzückte mich. Es gibt Formulierungen, die ein so erlesenes geistiges Klima um mich schaffen, daß ich ihm erliege, selbst wenn ich das Gesagte nicht ganz begreife. Annes Ausspruch erfüllte mich mit dem Wunsch, ein kleines Notizbuch und einen Bleistift zu besitzen. Ich sagte es ihr. Mein Vater lachte laut heraus.

»Zumindest bist du nicht nachtragend.«

Das konnte ich gar nicht sein, denn Anne war nicht böswillig. Das spürte ich; sie war viel zu gleichgültig, ihre Kritik ohne Spitze und zu vage, um boshaft zu sein. Dafür war sie um so wirkungsvoller.

Als Elsa an jenem Abend schnurstracks auf das Zimmer meines Vaters zusteuerte, schien Anne ihre gespielte oder wirkliche Zerstreutheit nicht zu bemerken. Sie hatte mir einen Pullover aus ihrer Kollektion mitgebracht, aber sie ließ es nicht zu, daß ich mich dafür bedankte. Dankesbeteuerungen langweilten sie, und da die meinen ohnedies nie meinem Enthusiasmus entsprachen, sparte ich mir die Mühe.

»Ich finde diese Elsa sehr sympathisch«, sagte sie, bevor ich sie verließ.

Sie blickte mir ohne Lächeln in die Augen; sie suchte in mir nach einem Gedanken, den sie unter allen Umständen ausrotten wollte. Ich sollte vergessen, daß ich sie einen Augenblick lang unbeherrscht gesehen hatte.

»Ja, ja, sie ist ein reizendes – eh – junges Mädchen... sehr sympathisch.«

Ich begann zu faseln. Sie mußte lachen, und ich ging sehr verärgert zu Bett. Beim Einschlafen dachte ich an Cyril, der vielleicht in Cannes mit irgendwelchen Mädchen tanzte.

Ich bin mir klar darüber, daß ich die Hauptsache vergesse – ich muß sie vergessen: die Gegenwart des Meeres, seinen ununterbrochenen Rhythmus und die Sonne. Auch die vier Linden im Hof eines Pensionats in der Provinz und ihren Duft habe ich vergessen; und das Lächeln meines Vaters auf dem Bahnsteig, vor zwei Jahren, als ich aus dem Pensionat zurückkam, dieses genierte Lächeln, weil ich Zöpfe und ein häßliches, fast schwarzes Kleid trug; und seinen plötzlichen, triumphierenden Freudenausbruch im Auto, weil ich seine Augen hatte, seinen Mund, und weil ich für ihn das liebste und wunderbarste Spielzeug sein würde. Ich hatte noch nichts erlebt; er würde mir Paris zeigen, den Luxus, das Leben von seiner schönsten und leichtesten Seite. Ich glaube, die meisten Dinge, die mir damals Freude machten, verdankte ich dem Geld: die Freude, in einem schnellen Auto zu fahren, ein neues Kleid zu bekommen, Grammophonplatten, Bücher, Blumen zu kaufen. Ich schäme mich dieser leichten Freuden auch heute noch nicht, und ich nenne sie im übrigen auch nur »leicht«, weil man mir gesagt hat, daß sie leicht seien. Meine Kümmernisse oder meine mystischen Krisen würde ich viel eher bereuen und verleugnen. Die einzige meinem Wesen gemäße Charaktereigenschaft, die ich an mir entdecken kann, ist die Freude am Vergnügen und am Glücklichsein. Vielleicht habe ich nicht genug gelesen? Im Pensionat liest man nichts außer erbaulicher Literatur. In Paris hatte ich keine Zeit zu lesen: Wenn mein Kolleg vorüber war, schleppten mich Freunde ins Kino; sie waren erstaunt, weil ich die Namen der Schauspieler nicht kannte. Oder wir setzten uns auf die Terrasse eines Kaffeehauses in die Sonne; ich kostete das Vergnügen aus, mich unter eine gedrängte Menschenmenge zu mischen, zu trinken, mit jemandem beisammen zu sein, der einem in die Augen schaut, einen bei der Hand nimmt und dann aus dieser Menschenmenge hinausführt. Wir gingen durch die Straßen bis nach Hause. Dort zog er mich unter einen Torbogen und küßte mich. Ich entdeckte die Freude am Küssen. Ich gebe diesen Erinnerungen nicht die Namen: Jean, Hubert, Jacques... Namen, die für alle kleinen Mädchen eine Erinnerung sind. Am Abend wurde ich erwachsener; ich ging mit meinem Vater aus, auf Gesellschaften, wo ich nicht wußte, was ich machen sollte; es waren ziemlich gemischte Gesellschaften, und manchmal unterhielt ich mich selber, und manchmal unterhielt ich die anderen durch meine Jugend. Wenn wir aufbrachen, setzte mein Vater mich am Rückweg daheim ab und brachte meistens noch eine Freundin in ihre Wohnung. Ich hörte ihn nicht nach Hause kommen.

Ich möchte nicht, daß man denkt, er hätte mit seinen Abenteuern in irgendeiner Weise geprahlt. Er beschränkte sich darauf, sie nicht vor mir zu verbergen oder genauer gesagt: er erfand keine passenden Erklärungen oder Lügen, um die häufigen Einladungen einer Freundin zum Mittagessen oder ihre schließliche – glücklicherweise vorübergehende – Einquartierung in unserem Hause zu rechtfertigen. Auf jeden Fall konnte ich über die Art seiner Beziehungen zu diesen »Gästen« nicht lange im unklaren bleiben, und er legte zweifellos Wert darauf, sich mein Vertrauen zu erhalten, um so mehr, als er bei dieser Methode seiner Phantasie keine besonderen Anstrengungen zumuten mußte. Das war sicher vollkommen richtig. Sein einziger Fehler war, daß durch ihn meine Vorstellung von der Liebe zeitweilig eine zynische Nüchternheit erhielt, die in meinem Alter und bei meiner Erfahrung eher belustigend als imponierend wirken mußte. Ich zitierte mit Vorliebe Aphorismen, zum Beispiel Oscar Wilde: »Die Sünde ist der einzige lebendige Farbfleck, der in der modernen Welt existiert.« Vollkommen überzeugt, machte ich mir diesen Ausspruch zu eigen, und dies um so leichter, als ich ihn nie in die Tat umgesetzt hatte. Ich glaubte, mein Leben würde sich Strich für Strich diesem Satz nachzeichnen lassen, könnte von ihm seinen Sinn empfangen, würde geradezu aus ihm hervorquellen wie ein perverses Bild von Epinal. Ich vergaß die toten Zeiten, das Fehlen von Zusammenhängen und die frommen Regungen des Alltags. In der Vorstellung entwarf ich mir ein Leben der Niedertracht und der Gemeinheit.

DRITTES KAPITEL

Am nächsten Morgen wurde ich durch einen schrägen, warmen Sonnenstrahl geweckt, der mein Bett mit Licht überschwemmte und mich aus seltsamen, ein wenig wirren Träumen riß, in denen ich mich gegen irgend etwas sträubte. Im Halbschlaf versuchte ich, mit der Hand die beharrliche Wärme von meinem Gesicht zu wischen, dann gab ich es auf. Es war zehn Uhr. Ich ging im Pyjama hinunter auf die Terrasse, wo Anne saß und in einer Zeitung blätterte. Ich sah, daß sie unauffällig und vollendet geschminkt war. Sie schien sich niemals wirkliche Ferien zu gönnen. Da sie mich überhaupt nicht beachtete, setzte ich mich schweigend mit einer Tasse Kaffee und einer Orange auf eine Stufe und widmete mich den morgendlichen Genüssen: Ich biß in die Orange, und ihr süßer Saft spritzte mir in den Mund; gleich darauf folgte ein Schluck kochend heißen schwarzen Kaffees und wieder die frische Süße der Frucht. Die Morgensonne wärmte meine Haare und glättete meine Haut. In fünf Minuten würde ich baden gehen. Annes Stimme schreckte mich auf:

»Ißt du nichts, Cécile?«

»Morgens trinke ich lieber, weil ...«

»Du solltest noch drei Kilo zunehmen, um einen präsentablen Anblick zu bieten. Du hast hohle Wangen, und man sieht deine Rippen. Geh und hole dir ein Butterbrot.«

Ich flehte sie an, mir kein Butterbrot aufzuzwingen, und sie begann mir gerade die Notwendigkeit dieser Maßnahme zu erläutern, als mein Vater in seinem prächtigen, erbsengrünen Morgenrock erschien.

»Welch reizender Anblick«, sagte er, »zwei braune kleine Mädchen in der Sonne, die über Butterbrote reden.«

»Nur ein kleines Mädchen – leider!« sagte Anne lachend. »Ich bin so alt wie Sie, mein armer Raymond.«

Mein Vater beugte sich herab und nahm ihre Hand.

»Immer noch genauso unverschämt«, sagte er zärtlich, und ich sah Annes Lider wie unter einer unerwarteten Liebkosung flattern.

Diesen Augenblick machte ich mir zunutze und schlich davon. Auf der Treppe begegnete ich Elsa. Man sah ihr deutlich an, daß sie aus dem Bett kam; ihre Lider waren geschwollen, und die Lippen wirkten blaß in dem krebsrot verbrannten Gesicht. Fast hätte ich sie angehalten, um ihr zu sagen, daß Anne mit einem sauberen Gesicht unten sitze und daß sie maßvoll und ohne Schaden zu nehmen braun werden würde. Fast hätte ich sie gewarnt. Aber sie hätte es zweifellos falsch aufgefaßt. Sie war neunundzwanzig Jahre alt, ungefähr dreizehn Jahre jünger als Anne, und das war in ihren Augen ein Trumpf-As.

Ich nahm meinen Badeanzug und lief zur Bucht hinunter. Zu meiner Überraschung war Cyril schon da; er saß in seinem Boot. Er ging mir mit ernster Miene entgegen und ergriff meine Hände.

»Ich wollte Sie wegen gestern um Verzeihung bitten«, sagte er.

»Es war mein Fehler«, sagte ich.

Ich empfand nicht die leiseste Spur von Verlegenheit, und seine feierliche Miene erstaunte mich.

»Ich ärgere mich sehr über mich«, fing er wieder an, während er das Boot ins Meer stieß.

»Dazu besteht nicht die geringste Veranlassung«, sagte ich vergnügt.

»Doch!«

Ich war schon im Boot. Er stand bis zu den Knien im Wasser und stützte sich auf den Bootsrand wie auf die Schranken eines Tribunals. Ich wußte, daß er nicht einsteigen würde, bevor er nicht gesprochen hatte, und blickte ihn mit aller erforderlichen Aufmerksamkeit an. Ich kannte sein Gesicht gut und fand mich darin zurecht. Dann kam mir der Gedanke, daß er fünfundzwanzig Jahre alt war und daß er sich vielleicht für einen Verführer hielt, und darüber mußte ich lachen.

»Lachen Sie nicht«, sagte er. »Ich war sehr böse auf mich gestern abend, wissen Sie. Sie sind so schutzlos. Ihr Vater, diese Frau, das Beispiel ... Ich wäre der schäbigste aller Halunken, es wäre genau dasselbe; Sie könnten genauso glauben ...«

Er wirkte nicht einmal lächerlich. Ich spürte, daß er gut war und daß er nahe dran war, mich zu lieben. Ich legte ihm die Arme um den Hals und meine Wange an seine. Er hatte breite Schultern und einen festen Körper.

»Sie sind lieb, Cyril«, murmelte ich. »Sie werden mir ein Bruder sein.«

Er nahm mich mit einem kleinen Ausruf des Zorns in die Arme und zog mich sacht aus dem Boot. Und so hielt er mich hochgehoben, eng an sich gepreßt, meinen Kopf auf seiner Schulter. In diesem Augenblick liebte ich ihn. Im Licht des Morgens war er so braun, so hübsch, so sanft wie ich; er beschützte mich. Als sein Mund meine Lippen suchte, begann ich vor Lust zu zittern wie er, und unser Kuß war ohne Reue, ohne Scham, nur ein tiefes, von leisem Murmeln unterbrochenes Forschen. Ich machte mich los und schwamm dem Boot nach, das inzwischen abgetrieben war. Ich tauchte mein Gesicht ins Wasser, um es wieder frisch und neu zu machen... Das Wasser war grün. Ein Gefühl von Glück und vollkommener Sorglosigkeit überkam mich.

Um halb zwölf verließ mich Cyril, und auf dem Ziegenpfad tauchte mein Vater mit seinen Frauen auf. Er ging zwischen ihnen und stützte sie, reichte ihnen abwechselnd die Hand und tat dies mit jener natürlichen Liebenswürdigkeit, die nur er allein besaß. Anne hatte ihren Bademantel anbehalten; sie zog ihn vor unseren prüfenden Blicken ruhig aus und legte sich in den Sand. An ihrem schlanken Körper und den tadellosen Beinen war nichts auszusetzen als eine ganz leicht verwelkte Haut. Hier sah man ohne Zweifel das Ergebnis jahrelanger Sorgfalt und Pflege. Unwillkürlich warf ich meinem Vater mit hochgezogenen Augenbrauen einen beifälligen Blick zu. Zu meiner großen Überraschung gab er mir diesen nicht zurück und schloß die Augen. Die arme Elsa war in einem jämmerlichen Zustand und beschmierte sich von oben bis unten mit Öl. Ich gab meinem Vater eine knappe Woche, dann würde er ...

Anne wandte mir den Kopf zu:

»Cécile, warum stehst du hier so früh auf? In Paris bist du bis zwölf im Bett geblieben.«

»Damals mußte ich arbeiten«, sagte ich, »das hat mich völlig fertig gemacht.«

Anne blieb ernst, sie lächelte nicht. Sie lächelte nur, wenn sie Lust dazu hatte, nie aus Höflichkeit wie alle anderen Menschen.

»Und dein Examen?«

»Durchgefallen!« sagte ich vergnügt. »Gründlich durchgefallen!«

»Du mußt es im Oktober machen, unter allen Umständen!«

»Warum?« schaltete sich mein Vater ein. »Ich habe es nie zu einem Diplom gebracht. Und ich führe ein recht üppiges Leben.«

»Aber Sie haben beim Start ein gewisses Vermögen gehabt«, erwiderte Anne.

»Meine Tochter wird immer Männer finden, die für sie sorgen«, sagte mein Vater edelmütig.

Elsa begann zu lachen und hörte wieder auf, als sie unsere Blicke auf sich gerichtet sah.

»Sie muß jetzt in den Ferien arbeiten«, sagte Anne und schloß ihre Augen wieder, um die Unterhaltung zu beenden.

Ich warf meinem Vater einen verzweifelten Blick zu. Er antwortete mir mit einem kleinen, verlegenen Lächeln. Ich sah mich schon über dem aufgeschlagenen Bergson hocken, vor den unzähligen Seiten, deren schwarze Linien mir vor den Augen tanzten, und von unten tönte Cyrils Lachen herauf ... Der Gedanke daran erfüllte mich mit Entsetzen. Ich rutschte zu Anne hinüber und redete sie mit leiser Stimme an. Sie öffnete die Augen. Ich neigte ihr mein unruhiges, flehendes Gesicht zu und zog meine Wangen noch etwas mehr ein, um mir das Aussehen eines überanstrengten Blaustrumpfes zu geben.

»Anne«, sagte ich, »das können Sie mir nicht antun; Sie werden mich doch nicht zwingen, bei dieser Hitze zu arbeiten ... Während der Ferien, die mir so gut tun könnten ...«

Sie blickte mich einen Moment fest an, dann lächelte sie geheimnisvoll und wandte den Kopf ab.

»Ich muß dir das antun ... selbst bei dieser Hitze, wie du sagst. Du wirst nicht länger als zwei Tage böse auf mich sein, wie ich dich kenne, und du wirst dein Examen machen.«

»Es gibt Dinge, an die man sich nicht gewöhnt«, sagte ich, ohne zu lachen.

Sie warf mir einen amüsierten, übermütigen Blick zu, und ich legte mich sehr beunruhigt wieder in den Sand. Elsa redete lang und breit über die Feste und Veranstaltungen an der Riviera. Aber mein Vater hörte nicht zu. Er lag an dem höchsten Punkt des Dreieckes, das ihre Körper bildeten, und betrachtete Annes Profil und ihre Schultern mit jenem unentwegten und ein wenig starren Blick, den ich so gut kannte. Seine Hand schloß und öffnete sich über dem Sand mit einer sanften, regelmäßigen, unermüdlichen Bewegung. Ich lief zum Meer, tauchte tief hinein und seufzte über die Ferien, die wir hätten haben können und nun nicht haben würden. Wir verfügten über alle Elemente eines Dramas: einen Verführer, eine Halbweltdame und eine Frau von Geist. Auf dem Grunde des Meeres entdeckte ich eine bezaubernde Muschel. Es war ein blaurosa Stein; ich tauchte, um ihn aufzuheben. Er lag glatt und angenehm in meiner Hand, und ich hielt ihn fest bis zum Mittagessen. Es war ein Glücksstein, beschloß ich und nahm mir vor, ihn den ganzen Sommer über zu behalten. Ich weiß nicht, warum ich ihn nicht verloren habe, wie ich alles verliere. Er liegt jetzt in meiner Hand – warm und rosa –, und ich möchte weinen.

VIERTES KAPITEL

In den folgenden Tagen war ich sehr überrascht, wie außerordentlich nett Anne zu Elsa war. Trotz der zahllosen Dummheiten, mit denen Elsa ihre Konversation schmückte, ließ Anne sich niemals zu einem jener kurzen Sätze hinreißen, deren Kunst sie so vollkommen beherrschte und mit denen sie die arme Elsa völlig lächerlich gemacht hätte. Ich lobte sie im stillen für ihre Geduld und ihre Großzügigkeit und erkannte nicht, daß sehr viel geschickte Berechnung dahinter steckte. Mein Vater wäre es bald müde geworden, wenn die beiden Katze und Maus gespielt hätten. Und so war er im Gegenteil dankbar und wußte nicht, was er alles tun sollte, um Anne seine Erkenntlichkeit zu beweisen. Diese Dankbarkeit war übrigens nur ein Vorwand. Gewiß, wenn er mit ihr sprach, hatte man das Gefühl, daß sie für ihn nichts anderes war als eine hochgeachtete Frau, eine zweite Mutter seiner Tochter. Das ging sogar so weit, daß er fortwährend so tat, als stelle er mich unter ihre Obhut, als sei sie ein wenig für mich verantwortlich – wie um ihr dadurch noch näher zu kommen, sie noch enger an uns zu binden. Aber die Blicke und Bewegungen, die er für sie hatte, richteten sich an eine Frau, die man nicht kennt und die man kennen möchte in der Umarmung. Ich kannte diese Blicke, manchmal überraschte ich Cyril dabei, und sie erweckten in mir gleichzeitig das Verlangen, zu fliehen und ihn herauszufordern. Anscheinend war ich in diesem Punkt leichter zu beeinflussen als Anne; denn sie legte meinem Vater gegenüber eine Gleichgültigkeit und Liebenswürdigkeit an den Tag, die mich beruhigten. Langsam begann ich zu glauben, daß ich mich an jenem ersten Tag getäuscht hätte; ich sah nicht, daß diese Liebenswürdigkeit, die keine andere Auslegung zuließ, meinen Vater außerordentlich erregte. Und vor allem erregte ihn ihre Art zu schweigen, ihre natürliche und so unbeschreiblich vornehme Art zu schweigen. Und dazu Elsas ununterbrochenes Gezwitscher – es war ein Gegensatz wie Sonne und Schatten. Arme Elsa! Sie schien wirklich nicht das geringste zu ahnen, sie war weiterhin etwas zu gesprächig, etwas zu lebhaft und immer noch entstellt vom Sonnenbrand.

Eines Tages jedoch schien sie einen Blick meines Vaters aufgefangen und verstanden zu haben; ich sah, wie sie ihm vor dem Mitttagessen etwas ins Ohr flüsterte. Einen Augenblick lang schien er verärgert, erstaunt, dann willigte er lächelnd ein. Beim Kaffee stand Elsa auf, ging zur Tür, drehte sich dort mit einer schmachtenden Bewegung um, die an den amerikanischen Film erinnerte, und legte Jahrzehnte französischer Galanterie in die Betonung ihrer Frage:

»Kommen Sie, Raymond?«

Mein Vater stand auf, errötete fast, sagte etwas über die segensreiche Wirkung des Nachmittagsschlafes und folgte ihr. Anne hatte sich nicht gerührt. Zwischen ihren Fingerspitzen rauchte eine Zigarette. Ich fühlte die Verpflichtung, etwas zu sagen:

»Manche Leute behaupten, daß ein Nachmittagsschlaf sehr erquickend ist; aber ich glaube, das ist ein Irrtum ...«

Ich schwieg sofort, als mir bewußt wurde, wie doppelsinnig meine Worte waren.

»Ich bitte dich«, sagte Anne trocken.

Sie sah gar keinen Doppelsinn; sie war sofort überzeugt davon, daß ich einen unzweideutig geschmacklosen Witz gemacht hatte. Ich blickte sie an. Ihr Gesicht war von einer so gewollten Ruhe und Entspanntheit, daß es mich rührte. Ob sie Elsa in diesem Augenblick leidenschaftlich beneidete? Um sie zu trösten, kam ich auf eine zynische Idee, die mich entzückte – meine eigenen Zynismen entzückten mich immer und erfüllten mich mit einer Art von Selbstvertrauen. Ich hatte das betörende Gefühl, mein eigener Komplice zu sein. Ich konnte den Gedanken nicht bei mir behalten, ich mußte ihn aussprechen – laut:

»Wissen Sie, Anne, mit dem Sonnenbrand, den Elsa hat, kann diese Art von Nachmittagsschlaf nicht sehr berauschend sein, weder für ihn noch für sie.«

Ich hätte besser getan zu schweigen.

»Solche Überlegungen sind mir außerordentlich zuwider«, sagte Anne, »und in deinem Alter sind sie nicht nur dumm, sondern geradezu peinlich.«

Ich wurde plötzlich kleinlaut.

»Es war doch nur ein Spaß«, entschuldigte ich mich. »Ich bin überzeugt, daß sie im Grunde sehr glücklich sind.«

Sie wandte mir ihr Gesicht zu, es war müde, erschöpft. Ich bat sie sofort um Verzeihung. Sie schloß wieder die Augen und begann mit leiser, geduldiger Stimme zu sprechen:

»Deine Vorstellung von der Liebe ist ein bißchen einfältig, Cécile. Liebe ist nicht eine Folge von Empfindungen, die voneinander unabhängig sind . . .«

Meine Lieben waren aber alle so, dachte ich: Ein Gesicht, eine Bewegung, ein Kuß – und plötzlich flammte ein Gefühl auf – Augenblicke, die aufblühten und vergingen, ohne Zusammenhang, das war alles, woran ich mich erinnerte.

»Liebe ist anders«, sagte Anne. »Liebe ist unveränderliche Zärtlichkeit, Sanftheit, Sehnsucht . . . Dinge, die du nicht verstehen kannst.«

Sie machte eine ausweichende Handbewegung und nahm eine Zeitung. Ich hätte es lieber gehabt, wenn sie wütend geworden wäre, wenn die Dürftigkeit meiner Gefühle sie aus ihrer resignierten Gleichgültigkeit gerissen hätte. Sie hat recht, dachte ich. Ich lebte dahin wie ein Tier, abhängig von dem Willen anderer Menschen – ich war arm und schwach. Ich verachtete mich, und das war mir entsetzlich unangenehm, denn es war mir ungewohnt, ich hatte sozusagen überhaupt kein Urteil über mich, weder ein gutes noch ein schlechtes.

Ich ging in mein Zimmer und begann zu grübeln.

Das Leintuch war warm unter meinem Körper, und wieder hörte ich Annes Worte: »Liebe ist anders, Liebe ist Sehnsucht.« Habe ich je nach irgend jemandem Sehnsucht gehabt?

Ich erinnere mich kaum mehr an die Ereignisse dieser vierzehn Tage. Wie ich schon einmal gesagt habe: Ich wollte nicht wahrhaben, daß irgend etwas vorging, daß irgend etwas drohte. An später erinnere ich mich natürlich sehr genau, denn in dem zweiten Teil dieser Ferien habe ich all meine Konzentration und all meine Möglichkeiten aufgeboten. Aber diese drei ersten Wochen, diese drei im Grunde glücklichen Wochen . . .

An welchem Tag war es, als mein Vater ganz offen auf Annes Mund blickte, wann war es, als er ihr Gleichgültigkeit vorwarf und so tat, als ob er darüber lache? Wann hat er ihren scharfen Verstand mit Elsas kindlicher Dummheit verglichen, ohne auch nur dabei zu lächeln?

Ich beruhigte mich mit der sehr törichten Idee, daß sie sich ja schon seit fünfzehn Jahren kannten, und wenn es ihnen bestimmt gewesen wäre, sich zu lieben, so hätten sie schon früher damit angefangen. ›Und wenn es trotzdem noch dazu kommen muß‹, sagte ich mir, ›wird mein Vater drei Monate lang verliebt sein, und Anne werden ein paar leidenschaftliche Erinnerungen und ein kleines Gefühl der Demütigung zurückbleiben.‹

Wußte ich wirklich nicht, daß Anne keine Frau war, die man so verlassen konnte?

Aber Cyril war da und füllte meine Gedanken aus. Am Abend gingen wir oft in die Nachtlokale von Saint-Tropez;

wir tanzten zu den gebrochenen Klängen einer Klarinette und sagten uns dabei Worte der Liebe, Worte, die am Abend süß und wunderbar waren und die ich am nächsten Morgen vergessen hatte. Am Tag segelten wir an der Küste entlang. Manchmal begleitete uns mein Vater. Er schätzte Cyril sehr, besonders seit dieser ihn einmal bei einem Crawl-Wettschwimmen hatte gewinnen lassen. Er nannte ihn »mein kleiner Cyril«, Cyril nannte ihn »Monsieur«; aber ich fragte mich, wer von beiden »der Kleine« und wer der Erwachsene war.

Eines Nachmittags gingen wir zum Tee zu Cyrils Mutter. Sie war eine alte Dame, ruhig, immer lächelnd, und sie sprach zu uns über die Probleme der Witwen und die Probleme der Mütter. Mein Vater war voller Teilnahme, warf Anne dankbare Blicke zu und machte der Dame zahllose Komplimente. Ich muß hier gestehen, daß er niemals auf die Idee kam, seine Anstrengungen könnten vergeudet sein. Anne betrachtete dieses Schauspiel mit einem liebenswürdigen Lächeln. Auf dem Rückweg erklärte sie, daß sie die Dame ganz reizend fände. Ich begann heftig über alte Damen dieser Sorte zu schimpfen. Die anderen wandten mir ein nachsichtiges und amüsiertes Lächeln zu.

»Ihr scheint nicht zu bemerken, daß sie äußerst zufrieden mit sich selber ist«, schrie ich. »Daß sie stolz und glücklich über ihr Leben ist, weil sie das angenehme Gefühl hat, ihre Aufgabe erfüllt zu haben und . . .«

»Aber es ist wahr«, sagte Anne. »Sie hat das, was man die Aufgaben einer Mutter und Gattin nennt, erfüllt . . .«

»Und ihre Aufgabe als Hure?« sagte ich.

»Ich habe Derbheiten nicht sehr gern«, sagte Anne, »auch nicht, wenn sie paradox sind.«

»Aber das ist nicht paradox. Sie hat geheiratet, wie jeder heiratet, aus sinnlicher Begierde oder weil es sich so gehörte. Sie hat ein Kind gehabt – ihr wißt doch, wie man Kinder kriegt?«

»Sicher nicht so gut wie du«, machte Anne sich lustig, »aber ich habe gewisse Vorstellungen davon.«

»Sie hat also dieses Kind aufgezogen. Die Aufregungen und Qualen eines Ehebruchs hat sie sich wahrscheinlich erspart. Sie hat ein Leben gelebt wie tausend andere Frauen, und darauf ist sie stolz, versteht ihr, sie ist stolz darauf! Ihre Rolle war die einer gutbürgerlichen Frau und Mutter, und sie hat nichts getan, um ihr zu entrinnen. Sie rühmt sich, dies und das unterlassen zu haben, statt auf etwas Vollbrachtes stolz zu sein.«

»Du redest ziemlichen Unsinn«, sagte mein Vater.

»Es ist ein frommer Selbstbetrug«, rief ich. »Nachher sagt man sich: ›Ich habe meine Pflicht getan‹, weil man nichts getan hat. Wenn sie es in dem Milieu, in dem sie geboren ist, zu einem Straßenmädchen gebracht hätte – das wäre eine Leistung gewesen.«

»Deine Ansichten sind modern, aber ohne Wert«, sagte Anne.

Vielleicht war es wahr. Ich dachte nicht anders, als ich redete, aber es war richtig, daß ich es von anderen gehört hatte. Dennoch war mein Leben und das Leben meines Vaters auf dieser Theorie aufgebaut, und es verletzte mich, daß Anne sie verachtete. Man kann an wertlosen Dingen ebenso hängen wie an anderen. Aber Anne betrachtete mich nicht als ein denkendes Wesen.

Und plötzlich erschien es mir dringend, ja lebenswichtig, sie eines Besseren zu belehren. Ich ahnte weder, daß sich so bald eine Gelegenheit bieten, noch, daß ich sie ausnützen würde. Übrigens gab ich bereitwillig zu, daß ich in einem Monat vielleicht ganz anders über diese Dinge denken würde, daß meine Überzeugungen nie lange anhielten. Ich hatte keine Veranlagung zu einer großen Seele!

FÜNFTES KAPITEL

Und dann kam eines Tages das Ende. Mein Vater verkündete uns beim Frühstück, daß wir am Abend nach Cannes fahren würden, um einmal wieder zu tanzen und zu spielen. Ich erinnere mich noch an Elsas Freude. Sie glaubte, daß sie in der vertrauten Atmosphäre der Kasinos wieder in ihre Rolle einer »femme fatale« zurückfinden würde, die durch den Sonnenbrand und die Abgeschlossenheit, in der wir lebten, etwas gelitten hatte. Überraschenderweise hatte Anne gegen unsere Vergnügungssucht nichts einzuwenden; sie schien sogar ganz einverstanden zu sein. Ich war daher in keiner Weise beunruhigt und ging gleich nach dem Abendessen auf mein Zimmer, um ein Abendkleid anzuziehen – übrigens das einzige, das ich besaß. Mein Vater hatte es ausgesucht. Es war aus einem exotischen, für mich zweifellos etwas zu exotischen Stoff, denn mein Vater zog mich, ich weiß nicht ob aus Geschmack oder aus Gewohnheit, gern als ›femme fatale‹ an. Ich traf ihn unten, strahlend schön in einem neuen Smoking, und legte ihm die Arme um den Hals.

»Du bist der schönste Mann, den ich kenne.«

»Außer Cyril«, sagte er, ohne es wirklich zu glauben. »Und du, du bist das hübscheste Mädchen, das ich kenne.«

»Nach Elsa und Anne«, sagte ich, aber ich glaubte es auch nicht.

»Da sie noch nicht da sind und sich die Freiheit nehmen, uns warten zu lassen, komm und tanz mit deinem Vater und seinem Rheumatismus.«

Da war wieder dieses Glücksgefühl, mit dem die Abende begannen, an denen wir zusammen ausgingen. Er hatte wirklich nichts von einem alten Vater. Beim Tanzen atmete ich seinen vertrauten Geruch von Eau de Cologne, von Wärme und Tabak. Er tanzte im Takt, die Augen halb geschlossen, ein kleines, glückliches Lächeln auf den Lippen, das er ebensowenig unterdrücken konnte wie ich.

»Du mußt mir den Bebop beibringen«, sagte er und vergaß den Rheumatismus.

Elsa erschien, und er hörte zu tanzen auf, um sie mit einem mechanischen Murmeln der Bewunderung zu empfangen. Sie kam in ihrem grünen Abendkleid langsam die Treppe herunter, um ihre Lippen spielte das blasierte Lächeln einer Dame von Welt – ihr Kasinolächeln. Sie hatte ihr möglichstes getan, um zu verbergen, daß die Sonne ihre Haare ausgedörrt und ihre Haut verbrannt hatte, was zwar verdienstvoll war, sie aber nicht gerade verschönte. Glücklicherweise schien sie das jedoch selber nicht zu bemerken.

»Gehen wir?«

»Anne ist noch nicht da«, sagte ich.

»Geh hinauf und schau, ob sie fertig ist«, sagte mein Vater, »es wird Mitternacht, bis wir in Cannes sind.«

Ich ging die Treppe hinauf, verwickelte mich dabei in mein Abendkleid und klopfte an Annes Tür. Sie rief mir zu, hereinzukommen. Ich blieb auf der Schwelle stehen. Sie trug ein graues Kleid von einem unerhörten Grau: fast weiß, an dem das Licht haften blieb wie im Morgengrauen an gewissen Tönungen des Meeres. Aller Zauber der Reife schien an jenem Abend in ihr vereinigt.

»Herrlich!« sagte ich. »O Anne, was für ein Kleid!«

Sie lächelte in den Spiegel, wie man jemandem zulächelt, den man verlassen will.

»Dieses Grau ist ein Erfolg«, sagte sie.

»*Sie* sind ein Erfolg«, sagte ich.

Sie nahm mich beim Ohr und blickte mich an. Ihre Augen waren blau und dunkel. Ich sah sie aufleuchten und lächeln.

»Du bist ein liebes kleines Mädchen, wenn du auch manchmal etwas schwierig bist.«

Sie ging an mir vorbei, ohne mein Kleid auch nur eines Blickes zu würdigen, worüber ich einerseits ganz froh, andererseits aber auch gekränkt war, und stieg als erste die Treppe hinunter. Ich sah, wie mein Vater ihr entgegenging. Er blieb unten auf dem Treppenabsatz stehen, den Fuß auf der untersten Stufe, das Gesicht zu ihr hinaufgewandt. Auch Elsa sah ihr zu, wie sie herunterkam. Ich erinnere mich ganz genau an diese Szene: im Vordergrund, vor mir, der goldbraune Nacken, die vollendeten Schultern von Anne, etwas weiter unten das geblendete Gesicht meines Vaters, seine ausgestreckte Hand und – schon weit im Hintergrund – die Silhouette von Elsa.

»Anne«, sagte mein Vater, »Sie sind unvergleichlich.« Sie lächelte ihm zu, als sie an ihm vorbeiging, und nahm ihren Mantel.

»Wir treffen uns dort«, sagte sie. »Cécile, kommst du mit mir?«

Sie ließ mich chauffieren. Die Straße war so schön in der Nacht, daß ich langsam fuhr. Anne sprach kein Wort. Sie schien nicht einmal das wilde Trompeten des Radios zu bemerken. Als der Wagen meines Vaters uns in einer Kurve überholte, zuckte sie nicht mit der Wimper. Ich fühlte mich schon ausgeschieden, ich war nur noch Zuschauer eines Schauspiels, in das ich nicht mehr eingreifen konnte.

Dank der geschickten Manöver meines Vaters verloren wir uns im Kasino sehr schnell aus den Augen. Ich fand mich in der Bar mit Elsa und einem ihrer Bekannten, einem halbbetrunkenen Südamerikaner, wieder. Er hatte mit dem Theater zu tun und war mit so viel Leidenschaft bei seinem Beruf, daß er trotz seines Zustandes interessant blieb. Ich verbrachte ungefähr eine Stunde mit ihm und unterhielt mich gut, aber Elsa langweilte sich. Sie kannte ein oder zwei große Stars, aber die Technik des Theaters interessierte sie nicht. Sie fragte mich plötzlich, wo mein Vater sei, als ob ich das wissen könnte, und entfernte sich. Der Südamerikaner schien einen Moment betrübt darüber zu sein, aber ein neuer Whisky gab ihm wieder frischen Auftrieb. Ich dachte an gar nichts; da ich aus Höflichkeit an seinen Trinkgelüsten teilgenommen hatte, befand ich mich in einem Zustand vollkommener Glückseligkeit. Das Ganze wurde noch sehr viel komischer, als er tanzen wollte. Ich mußte ihn mit beiden Armen umschlingen und festhalten und, was noch sehr viel mehr Kräfte beanspruchte, meine Füße immer wieder unter den seinen hervorzerren. Wir lachten derart, daß ich Elsa, als sie mir auf die Schulter klopfte und ich ihren Kassandrablick sah, fast zum Teufel geschickt hätte.

»Ich finde sie nicht«, sagte sie.

Sie sah bestürzt aus; auf ihrem Gesicht war kein Puder mehr, es glänzte und wirkte verfallen. Sie bot einen erbarmungswürdigen Anblick. Plötzlich empfand ich einen wilden Zorn gegen meinen Vater. Er war wirklich von einer unbegreiflichen Unhöflichkeit.

»Ah, ich weiß, wo sie sind«, sagte ich lächelnd, als ob es sich um die natürlichste Sache der Welt handelte, an die sie auch selber hätte denken können, ohne sich aufzuregen. »Ich komme gleich wieder.«

Seiner Stütze beraubt, fiel der Südamerikaner in Elsas Arme und schien sich dort sehr wohl zu fühlen. Ich dachte voll Trauer, daß sie viel üppiger war als ich und daß ich ihm das deshalb nicht übelnehmen dürfte. Das Kasino war groß. Ich machte zweimal ohne Resultat die Runde. Ich irrte über die Terrassen und kam schließlich auf die Idee, im Auto nachzusehen.

Es dauerte eine Weile, bis ich es im Park fand. Und dort waren sie. Ich kam von hinten und sah sie durch das Rückfenster. Ihre beiden Profile waren sehr nah beisammen, sehr ernst und seltsam schön unter dem Licht der Laterne. Sie blickten einander an und schienen leise zu reden; ich sah, wie ihre Lippen sich bewegten. Am liebsten wäre ich wieder weggegangen, aber ich dachte an Elsa und öffnete die Wagentür.

Die Hand meines Vaters lag auf Annes Arm; sie beachteten mich kaum.

»Unterhaltet ihr euch gut?« fragte ich höflich.

»Was ist los?« sagte mein Vater etwas gereizt. »Was machst du hier?«

»Was macht ihr hier? Seit einer Stunde sucht euch Elsa.«

Anne wandte mir ihr Gesicht zu, langsam, als ob es ihr leid täte.

»Wir fahren nach Hause. Sage ihr, daß ich müde war und daß dein Vater mich heimgebracht hat. Wenn ihr euch genug unterhalten habt, könnt ihr mit meinem Auto zurückfahren.«

Ich zitterte vor Empörung, ich fand keine Worte.

»Wenn wir uns genug unterhalten haben! Aber wißt ihr denn nicht, was ihr da tut! Das ist ekelhaft!«

»Was ist ekelhaft?« fragte mein Vater erstaunt.

»Du nimmst dir ein rothaariges Mädchen mit ans Meer, wo eine Sonne scheint, die sie nicht verträgt, und nachdem sie sich von Kopf bis Fuß geschält hat, verläßt du sie. Das ist zu einfach! Was soll ich Elsa sagen, was?«

Anne hatte sich ihm wieder zugewandt, sie sah müde aus. Er lächelte sie an und hörte mir gar nicht zu.

Ich war außer mir, am Rande meiner Beherrschung.

»Ich werde ... ich werde ihr sagen, daß mein Vater eine andere Dame gefunden hat, mit der er schlafen will, und daß sie sich trollen kann — so ist es doch?«

Der Ausruf meines Vaters und die Ohrfeige von Anne erfolgten gleichzeitig. Hastig zog ich meinen Kopf aus der Tür zurück. Anne hatte mir weh getan.

»Entschuldige dich«, sagte mein Vater.

Ich blieb unbeweglich an der Tür stehen, mir schwirrte der Kopf. Immer fällt es mir zu spät ein, wie man sich vornehm und anständig benimmt.

»Komm her«, sagte Anne.

Ich hörte keine Drohung in ihrer Stimme und kam näher. Sie legte ihre Hand auf meine Wange und sprach sanft und langsam zu mir, als ob ich etwas töricht sei:

»Sei nicht garstig. Es tut mir schrecklich leid wegen Elsa. Aber du hast genügend Taktgefühl, um diese Sache so gut wie möglich zu ordnen. Morgen werden wir uns aussprechen. Habe ich dir sehr weh getan?«

»Aber nein«, sagte ich höflich.

Zuerst meine maßlose Heftigkeit und jetzt Annes plötzliche Sanftheit — am liebsten hätte ich geweint! Ich sah sie fortfahren und fühlte mich leer und hohl. Mein einziger Trost war der Appell an mein Taktgefühl. Ich ging langsam zum Kasino zurück, und dort fand ich Elsa wieder, an deren Arm sich der Südamerikaner klammerte.

»Anne hat sich nicht wohl gefühlt«, sagte ich leichthin, »Papa mußte sie nach Hause bringen. Wollen wir etwas trinken?«

Sie blickte mich an, ohne zu antworten. Ich suchte nach einem überzeugenden Argument.

»Sie mußte sich übergeben«, sagte ich, »es war scheußlich, ihr Kleid war voller Flecken.«

Dieses Detail erschien mir von zwingender Glaubwürdigkeit, aber Elsa begann sanft und traurig zu weinen. Völlig ratlos blickte ich sie an.

»Cécile«, sagte sie, »o Cécile, wir waren so glücklich . . .«

Ihr Schluchzen wurde heftiger. Nun fing auch der Südamerikaner an zu weinen und sagte ihr nach: »Wir waren so glücklich, so glücklich.« In diesem Augenblick haßte ich Anne und meinen Vater. Ich hätte alles getan, alles, um zu verhindern, daß die arme Elsa weinte, daß ihre Wimperntusche zerrann und daß der Südamerikaner schluchzte.

»Es ist noch nicht aller Tage Abend, Elsa. Kommen Sie mit mir zurück.«

»Ich werde bald zurückkommen und meine Koffer holen«, schluchzte sie. »Adieu, Cécile, wir beide haben uns gut verstanden.«

Ich hatte nie über irgend etwas anderes mit ihr geredet als über das Wetter und über Mode; trotzdem hatte ich das Gefühl, eine alte Freundin zu verlieren. Ich machte plötzlich kehrt und rannte zum Auto zurück.

SECHSTES KAPITEL

Der nächste Morgen war unangenehm, sicher wegen der vielen Whiskys vom Abend zuvor. Als ich aufwachte, lag ich quer über dem Bett im Finstern, meine Lippen waren steif und geschwollen, meine Glieder versanken in einer unerträglichen Feuchtigkeit. Ein Sonnenstrahl sickerte durch die Schlitze im Fensterladen, und ich sah dichte Reihen von Staub darin aufsteigen. Ich hatte weder Lust aufzustehen noch im Bett zu bleiben. Ob Elsa zurückkommen würde? Wie sahen Anne und mein Vater wohl heute früh aus? Ich zwang mich, an sie zu denken, um die Anstrengung nicht zu merken, die mich das Aufstehen kostete. Schließlich gelang es mir auch, und ich stand halb betäubt auf den kühlen Fliesen meines Zimmers und fühlte mich erbärmlich. Im Spiegel bot sich mir ein trauriger Anblick. Ich neigte mich näher an ihn heran: übergroße Augen, ein aufgedunsener Mund – war dieses fremde Gesicht mein eigenes? Konnte der Grund für meine Schwäche und Feigheit in diesen Lippen liegen, in diesen Proportionen meines Gesichtes, in dieser verhaßten, ungerechten Begrenzung?

Und wenn mir Grenzen gesetzt waren, warum mußte es mir so schrecklich, so gegen meine Natur bewußt werden? Ich gefiel mir darin, mich zu verabscheuen und dieses durch ein ausschweifendes Leben ausgehöhlte und zerknitterte Fuchsgesicht zu hassen. Ein ausschweifendes Leben – ich begann, mir diese Worte mit dumpfer Stimme immer wieder vorzusagen, und blickte mir dabei in die Augen, und plötzlich sah ich, daß ich lächelte. In der Tat, welche Ausschweifung: ein paar armselige Gläser Whisky, eine Ohrfeige und Schluchzen. Ich putzte mir die Zähne und ging hinunter.

Mein Vater und Anne waren schon auf der Terrasse und saßen dicht nebeneinander vor dem Frühstückstablett. Ich warf ihnen ein undeutliches »Guten Morgen« zu und setzte mich ihnen gegenüber. Ich schämte mich und wagte nicht, sie anzusehen, aber schließlich zwang mich ihr Schweigen aufzublicken. Anne sah etwas abgespannt aus – die einzige Spur einer Liebesnacht, die ich an ihr bemerkte. Sie lächelten, ihre Gesichter waren glücklich. Und das machte mir Eindruck: Glück erschien mir immer wie eine Bestätigung, ein Erfolg.

»Gut geschlafen?« sagte mein Vater.

»Nicht besonders«, antwortete ich. »Ich habe gestern abend zuviel Whisky getrunken.«

Ich goß mir eine Tasse Kaffee ein, nahm einen Schluck und setzte die Tasse schnell wieder nieder. Ihr Schweigen war voll Bedeutung und Erwartung und machte mich befangen. Ich war zu müde, um es lange zu ertragen.

»Was ist los? Ihr macht einen so geheimnisvollen Eindruck?«

Mein Vater zündete sich mit einer Bewegung, die besonders ruhig wirken sollte, eine Zigarette an. Anne betrachtete mich, zum erstenmal offensichtlich verlegen.

»Ich möchte dich etwas fragen«, sagte sie schließlich.

Ich war auf das Schlimmste gefaßt.

»Ein neuer Auftrag für mich an Elsa?«

Sie wandte ihr Gesicht meinem Vater zu:

»Dein Vater und ich würden gern heiraten«, sagte sie.

Ich starrte sie an, dann blickte ich auf meinen Vater. Einen Augenblick lang wartete ich auf ein Zeichen von ihm, ein Zwinkern, das mich zugleich entrüstet und beruhigt hätte. Er war in den Anblick seiner Hände versunken. ›Es ist unmöglich‹, sagte ich mir, aber ich wußte bereits, daß es die Wahrheit war.

»Das ist eine sehr gute Idee«, sagte ich, um Zeit zu gewinnen.

Ich konnte nicht verstehen, was da geschehen war: Ein so hartnäckiger Gegner der Ehe und aller Fesseln wie mein Vater sollte sich in einer einzigen Nacht entschlossen haben ... Das würde unser ganzes Leben ändern. Unsere Unabhängigkeit war verloren. Ich sah es schon vor mir, unser Leben zu dritt: An der Seite der intelligenten und kultivierten Anne würden wir plötzlich ausgeglichene Menschen werden und jenes Leben führen, um das ich sie bisher beneidet hatte. Mit klugen, aufgeschlossenen Freunden, ruhigen, glücklichen Abenden ... Schon jetzt begann ich die lärmenden Gesellschaften, die Südamerikaner und die Elsas zu verachten. Ein Gefühl von Überlegenheit, von Hochmut ergriff mich.

»Das ist eine sehr, sehr gute Idee«, wiederholte ich und lächelte ihnen zu.

»Mein kleines Kätzchen, ich wußte, daß du dich freuen wirst«, sagte mein Vater.

Seine Unruhe war verflogen, er war entzückt. Liebe und Müdigkeit hatten Annes Gesicht verwandelt, und es erschien mir viel zugänglicher, viel weicher, als ich es je gesehen hatte.

»Komm her, mein Kätzchen«, sagte mein Vater.

Er streckte mir beide Hände entgegen und zog mich zu sich heran. Ich kniete halb vor ihnen, und sie blickten mich mit liebevoller Rührung an und streichelten meinen Kopf.

Und ich, ich konnte nicht aufhören, daran zu denken, daß in diesem Augenblick vielleicht eine Wendung in meinem Leben eintrat, aber daß ich für sie tatsächlich nichts anderes war als ein »Kätzchen«, als ein kleines, zärtliches Tier. Ich spürte, wie fern sie mir waren, verbunden durch eine Vergangenheit und eine Zukunft, vereint durch Bande, die ich nicht kannte und die mich nicht einbeziehen konnten. Bewußt schloß ich meine Augen, lehnte den Kopf an ihre Knie, lachte mit ihnen und spielte wieder meine Rolle. Aber war ich übrigens nicht wirklich glücklich? Anne war sehr anständig, ich hatte sie noch nie kleinlich und engherzig gesehen. Sie würde mich leiten, mir die Verantwortung für mein Leben abnehmen und mir in allen

Situationen den richtigen Weg weisen. Ich würde ein vollkommener Mensch werden und mein Vater mit mir.

Mein Vater stand auf, um eine Flasche Champagner zu holen; ich war angewidert. Er war glücklich, das war sicher die Hauptsache, aber wegen einer Frau hatte ich ihn schon so oft glücklich gesehen ...

»Ich habe etwas Angst vor dir gehabt«, sagte Anne.

»Warum?« fragte ich.

Als sie das sagte, hatte ich das Gefühl, als hätte mein Veto die Heirat dieser beiden Erwachsenen verhindern können.

»Ich fürchtete, du würdest Angst vor mir haben«, sagte sie und begann zu lachen.

Ich lachte auch, denn ich hatte tatsächlich etwas Angst vor ihr. Sie gab mir zu verstehen, daß sie es wußte und daß es überflüssig sei.

»Und es kommt dir nicht lächerlich vor, diese Heirat von zwei alten Leuten?«

»Ihr seid nicht alt«, sagte ich mit der notwendigen Überzeugung, denn mein Vater kam im Walzerschritt mit einer Flasche im Arm zurück.

Er setzte sich neben Anne und legte den Arm um ihre Schultern. Und die Bewegung, mit der ihr Körper sich ihm zuneigte, ließ mich die Augen senken. Natürlich, das war es, deshalb heiratete sie ihn: wegen seines Lachens, wegen seiner festen, beruhigenden Arme, seiner Vitalität, seiner Glut. Sie war vierzig Jahre alt – da war die Furcht vor der Einsamkeit, vielleicht der letzte Sturm der Sinne ...

Ich hatte Anne nie als Frau empfunden, sondern als ein Wesen. Ich hatte Selbstsicherheit an ihr erlebt, Vornehmheit, Intelligenz – aber Sinnlichkeit, weibliche Schwäche ... Ich verstand, daß mein Vater stolz war: die hochmütige, gleichgültige Anne Larsen heiratete ihn! Aber liebte er sie, konnte er sie lange lieben? War ein Unterschied zwischen der Zärtlichkeit, die er für Anne hatte, und seiner Zärtlichkeit gegenüber Elsa zu erkennen? Ich schloß die Augen, die Sonne machte mich müde. Wir saßen alle drei auf der Terrasse und waren erfüllt von Dingen, die wir nicht sagten, von heimlicher Furcht und von Glück.

Elsa kam während der nächsten Tage nicht zurück. Eine Woche verging im Fluge, sieben schöne und glückliche Tage – die einzigen. Wir entwarfen ausführliche Pläne für die Einrichtung der Wohnung und unseren Tageslauf. Mit der Ahnungslosigkeit von Leuten, die so etwas nie gekannt haben, machte es meinem Vater und mir großen Spaß, ihn gedrängt und schwierig zu gestalten. Aber haben wir je wirklich daran geglaubt? Jeden Tag um halb ein Uhr Mittagessen, immer zur gleichen Stunde, immer am gleichen Ort, zu Hause Abendessen und dann nicht ausgehen – hat mein Vater das wirklich je für möglich gehalten? Nun, in jenen Tagen begrub er fröhlich das Zigeunerleben, predigte Ordnung und ein gut organisiertes, vornehmes, bürgerliches Dasein. Aber zweifellos war es für ihn – genauso wie für mich – nur eine Konstruktion des Verstandes.

Ich habe von dieser Woche eine Erinnerung bewahrt, die ich immer wieder durchwühle, um mich zu prüfen. Anne war entspannt, voller Vertrauen, sie war sanft und weich, und mein Vater liebte sie. Ich sah sie morgens Arm in Arm herunterkommen, lachend, blaue Ringe unter den Augen, und ich wäre glücklich gewesen, ich schwöre es, wenn das das ganze Leben gedauert hätte. Am Abend gingen wir oft an den Strand hinunter und tranken einen Apéritif auf einer der Terrassen. Überall hielt man uns für eine normale, engverbundene Familie. Ich war gewohnt, allein mit meinem Vater auszugehen und boshafte Blicke oder mitleidiges Lächeln einzuheimsen, und war froh, nun wieder eine Rolle zu spielen, die meinem Alter entsprach. Die Hochzeit sollte nach unserer Rückkehr in Paris stattfinden.

Der arme Cyril hatte nicht ohne eine gewisse Bestürzung unsere familiäre Umgestaltung gesehen. Aber er freute sich über das legale Ende. Wir segelten zusammen in seinem Boot, wir küßten einander, wenn uns danach zumute war, und manchmal, während er seinen Mund auf meinen preßte, sah ich wieder Annes Gesicht mit den leisen Spuren der Nacht vor mir. Ich dachte daran, wie die Liebe ihre Bewegungen träge und gelöst gemacht hatte — und ich beneidete sie. Küsse erschöpfen sich, und wenn Cyril mich weniger geliebt hätte, wäre ich in jener Woche wahrscheinlich seine Geliebte geworden.

Wir kamen um sechs Uhr von den Inseln zurück, und Cyril zog das Boot auf den Sand. Wir gingen durch den Fichtenwald nach Hause und spielten, um warm zu werden, Indianerspiele und Wettrennen mit Handikap. Er holte mich regelmäßig vor dem Haus wieder ein, stürzte sich mit

Siegesgeschrei auf mich, rollte mich in den Fichtennadeln, umarmte und küßte mich. Ich erinnere mich noch an den Geschmack seiner atemlosen, unwirksamen Küsse und an das Klopfen seines Herzens, das im Takt mit den Brandungswellen am Strand gegen das meine klopfte ... Eins, zwei, drei, vier Herzschläge und das weiche Geräusch auf dem Sand, eins, zwei, drei ... eins: Sein Atem ging wieder regelmäßig, seine Küsse wurden sicherer, fester – ich hörte das Meer nicht mehr, in meinen Ohren war nur noch der schnelle und gejagte Takt meines eigenen Blutes.

Eines Abends schreckte uns Annes Stimme auf. Wir lagen nebeneinander, halbnackt in der roten Glut der Abenddämmerung, die voll von dunklen Schatten war, und ich verstehe, daß man unsere Situation mißdeuten konnte. Anne sprach meinen Namen mit einer gewissen Schärfe aus.

Cyril war mit einem Sprung auf, er schämte sich natürlich. Ich erhob mich sehr viel langsamer und blickte dabei auf Anne. Sie drehte sich zu Cyril um und sagte sanft und leise und so, als ob sie ihn gar nicht sähe:

»Ich erwarte, Sie nicht mehr wiederzusehen.«

Er antwortete nicht, neigte sich zu mir herab und küßte mich auf die Schulter, bevor er ging. Diese Geste überraschte mich und rührte mich wie ein Versprechen. Anne fixierte mich wieder mit diesem ernsten und abwesenden Blick, als ob sie an ganz etwas anderes dächte. Das reizte mich: Wenn sie an etwas anderes dachte, hatte sie kein Recht, so zu handeln. Ich ging auf sie zu und tat aus purer Höflichkeit so, als ob ich mich schämte. Mechanisch entfernte sie eine Fichtennadel von meinem Hals, und jetzt schien sie mich erst wirklich zu sehen. Ich sah, wie sie ihre Maske der Verachtung aufsetzte, dieses müde Gesicht voller Mißbilligung, das sie außerordentlich schön und mich ein wenig ängstlich machte:

»Du solltest eigentlich wissen, daß diese Art von Vergnügen gewöhnlich in einer Klinik endet«, sagte sie.

Sie stand kerzengerade, während sie mit mir sprach, und starrte mir in die Augen, und es war mir entsetzlich unangenehm. Sie gehörte zu den Frauen, die gerade aufgerichtet und ohne eine Bewegung reden können; ich konnte das nicht, ich brauchte einen Sessel, ich brauchte die Hilfe eines Gegenstandes, den ich angreifen konnte, die Hilfe einer Zigarette, ein Bein, mit dem ich wippte und dem ich dabei zusah ...

»Man muß nicht übertreiben«, sagte ich lächelnd. »Ich habe Cyril nur geküßt, und das bringt mich noch nicht in die Klinik.«

»Ich möchte dich bitten, ihn nicht wiederzusehen«, sagte sie, als ob sie mir nicht glaubte. »Widersprich mir nicht, du bist siebzehn Jahre alt, ich bin jetzt ein bißchen für dich verantwortlich, und ich lasse es nicht zu, daß du dein Leben verpfuschst. Außerdem hast du genug zu arbeiten, damit kannst du deine Nachmittage ausfüllen.«

Sie drehte mir den Rücken zu und ging mit ihren langsamen, lockeren Schritten wieder zum Haus zurück. Ich war so betroffen, daß ich wie angewurzelt stehenblieb. Sie glaubte also, was sie gesagt hatte. Sie würde meine Argumente und mein Leugnen mit einer Gleichgültigkeit entgegennehmen, die schlimmer war als Verachtung, so als ob ich gar nicht existierte, als ob ich ein Nichts sei und nicht ich selber, Cécile, die sie schon immer gekannt hatte – ich schließlich, die zu strafen ihr schmerzlich sein müßte.

Meine einzige Hoffnung war mein Vater. Er würde so reagieren wie immer: »Was ist das für ein Bursche, mein Kätzchen? Ist er wenigstens schön und gesund? Nimm dich vor den Schmutzfinken in acht, mein kleines Mädchen.« Er mußte in diesem Sinne reagieren, oder es war aus mit meinen Ferien.

Das Abendessen verlief wie ein Alptraum. Nicht einen Moment hatte Anne daran gedacht, mir zu sagen: »Ich werde deinem Vater nichts erzählen, ich bin keine Denunziantin, aber du mußt mir versprechen, ordentlich zu lernen.« Diese Art von Berechnung war ihr fremd. Einerseits war ich froh darüber, andererseits nahm ich es ihr übel, denn so hätte ich ein Recht gehabt, sie zu verachten. Sie vermied es, diesen Fehler zu begehen; sie machte nie einen Fehler, und erst nachdem wir die Suppe gegessen hatten, schien sie sich an den Vorfall zu erinnern.

»Ich hätte gern, daß du deiner Tochter ein paar gute Ratschläge gäbest, Raymond. Ich habe sie heute abend mit Cyril im Fichtenwald gefunden, und sie schienen sich etwas zu gut zu verstehen.«

Mein Vater versuchte das Ganze als Scherz aufzufassen, der Arme:

»Was sagst du da? Was taten sie?«

»Ich habe ihn geküßt«, rief ich leidenschaftlich. »Anne hat geglaubt ...«

»Ich habe gar nichts geglaubt«, unterbrach sie mich. »Aber ich glaube, es wird gut sein, wenn sie ihn eine Weile nicht sieht und statt dessen ein bißchen für ihre Prüfung arbeitet.«

»Die arme Kleine«, sagte mein Vater. »Dieser Cyril ist doch eigentlich ein sehr netter Bursche?«

»Und Cécile ist ein sehr nettes kleines Mädchen«, sagte Anne, »und deshalb wäre ich verzweifelt, wenn ihr ein Unglück passierte. Und bei der vollkommenen Freiheit, die sie hier hat, der ständigen Gesellschaft dieses jungen Mannes und ihrem Mangel an Beschäftigung halte ich das für unvermeidlich. Du nicht?«

Bei dem Klang dieses »Du nicht?« blickte ich auf, und mein Vater senkte offensichtlich bekümmert die Augen: »Du hast zweifellos recht«, sagte er. »Ja, eigentlich solltest du wirklich ein bißchen arbeiten, Cécile. Du willst doch schließlich deine Prüfung nicht noch einmal machen?«

»Was wäre schon dabei?« antwortete ich kurz angebunden.

Er blickte mich an und wandte die Augen gleich wieder ab. Ich war geschlagen. Und ich begriff, daß Unbekümmertheit das einzige Gefühl war, das unser Leben beflügeln konnte; es war sinnlos, sich mit irgendwelchen Argumenten verteidigen zu wollen.

»Schau«, sagte Anne, und ergriff über den Tisch hinweg meine Hand. »Du wirst die Rolle eines ›Mädchens im Wald‹ gegen die der braven Studentin eintauschen – nur für einen Monat; das ist doch nicht so schwer, oder doch?«

Sie blickte mich an, er blickte mich an und lächelte. In diesem Licht gesehen, war die Sache einfach. Sanft zog ich meine Hand zurück.

»Doch, es ist schwer.«

Ich sagte es so leise, daß sie mich nicht hörten oder nicht hören wollten. Am nächsten Morgen saß ich vor einem Satz von Bergson. Es dauerte ein paar Minuten, bis ich ihn verstand: »Welche Ungleichartigkeit man auch anfangs zwischen Wirkung und Ursache feststellen könnte, und obwohl der Weg von einem Gesetz der Sittlichkeit bis zu einer Bejahung im Grund der Dinge ein weiter ist, spürt man doch immer, daß man aus dem Kontakt mit dem Schöpfungsprinzip der menschlichen Rasse die Kraft schöpft, die Menschheit zu lieben.«

Ich sagte mir diesen Satz immer wieder vor. Zuerst leise, um mich nicht aufzuregen, dann mit lauter Stimme. Ich stützte meinen Kopf in beide Hände und sah ihn aufmerksam an. Und schließlich, nachdem ich ihn viele Male gelesen hatte, verstand ich ihn und empfand dennoch das gleiche Gefühl von Kälte und Unvermögen wie beim erstenmal. Ich konnte nicht weiterlesen, ich blickte – immer noch aufmerksam und wohlwollend – auf die folgenden Zeilen, und plötzlich brach etwas in mir los wie ein Sturm und warf mich auf mein Bett. Ich dachte an Cyril, der in der goldenen Bucht auf mich wartete, ich dachte an das Schaukeln des Bootes, an den Geschmack unserer Küsse, und ich dachte an Anne. Und meine Gedanken waren so absurd, daß ich mich mit klopfendem Herzen im Bett aufsetzte. ›Es ist dumm, es ist ungeheuerlich, so etwas zu denken‹, sagte ich mir, ›ich bin nichts als ein verwöhntes Kind, ich bin faul, und ich habe nicht das Recht, so zu denken!‹ Und gegen meinen Willen überlegte ich weiter: ›Sie schadet uns, sie ist gefährlich, und man muß sie aus unserem Leben vertreiben.‹ Ich dachte an dieses Mittagessen, das ich gerade mit zusammengebissenen Zähnen überstanden hatte. Ich war aufgelöst und zerfressen von Rachsucht, verachtete mich dafür und fühlte mich lächerlich... Ja, das war es, was ich Anne vorwarf: Sie machte es mir unmöglich, mich selber zu lieben. Die Natur hatte mich dazu geschaffen, glücklich, unbekümmert und liebenswürdig zu sein, und durch ihre Schuld geriet ich nun in eine Welt der Vorwürfe, des schlechten Gewissens, in der ich mich verlor, denn ich war zu unerfahren in der Kunst der Selbstbetrachtung. Und was würde Anne mir noch bringen? Ich maß ihre Kraft: sie hatte meinen Vater gewollt, sie hatte ihn gekriegt – nach und nach würde sie aus uns den Ehemann und die Stieftochter von Anne Larsen machen. Das hieß mit anderen Worten: gesittete, wohlerzogene und glückliche Wesen. Denn sie würde uns glücklich machen; ich spürte genau, wie leicht wir in unserer Labilität der Verlockung eines vorgeschriebenen, abgegrenzten, verantwortungsfreien Lebens nachgeben würden. Ihre Wirkung war viel zu stark. Schon begann mein Vater sich von mir zu lösen; dieses verlegene, abgewandte Gesicht, das er beim Essen gehabt hatte, verfolgte mich, quälte mich. Ich dachte an all unsere früheren gemeinsamen Streiche, an unser Lachen, wenn wir im Morgengrauen mit dem Auto durch die weißen Straßen von Paris nach Hause fuhren, und ich hatte Lust zu weinen. Das war nun alles zu Ende. Jetzt würde ich von Anne in die Arbeit genommen, beeinflußt, umgemodelt, neu ausgerichtet werden. Ich würde nicht einmal darunter leiden. Sie würde mit Intelligenz, Ironie und Sanftheit auf mich einwirken. Ich war nicht in der Lage, ihr zu widerstehen; in sechs Monaten würde ich nicht einmal mehr das Verlangen danach haben.

Es mußte unter allen Umständen etwas geschehen, ich mußte meinen Vater wiederfinden und unser früheres Leben. Wie reizvoll erschienen mir plötzlich diese zwei fröhlichen, zusammenhanglosen Jahre, die nun vorüber waren und die ich vor ein paar Tagen so schnell und bereitwillig verleugnet hatte. Die Freiheit, zu denken, schlecht zu denken, wenig zu denken, die Freiheit, mir mein Leben selber auszusuchen und zu entscheiden, wie ich selbst sein wollte – ich kann nicht sagen: »ich selbst zu sein«, denn ich war nichts als ein modellierbarer Teig –, aber die Freiheit, eine bestimmte Teigform abzulehnen.

Ich weiß, daß man komplizierte Motive für diese Veränderung finden und mir prachtvolle Komplexe unterschieben kann: blutschänderische Liebe zu meinem Vater oder eine ungesunde Leidenschaft für Anne. Aber ich kenne die wirklichen Ursachen: Es waren die Hitze, Bergson und Cyril – oder zumindest Cyrils Abwesenheit. Ich dachte den ganzen Nachmittag darüber nach und fiel aus einem unangenehmen Zustand in den anderen; aber das einzige Ergebnis meiner Entdeckung blieb, daß wir Anne auf Gnade und Verderb ausgeliefert waren. Ich war es nicht gewohnt, nachzudenken, es ging mir auf die Nerven. Beim Essen öffnete ich wie am Morgen nicht den Mund. Mein Vater fühlte sich verpflichtet, darüber einen Witz zu machen:

»Was ich an den jungen Leuten so liebe, ist ihre Lebhaftigkeit, ihre Konversation ...«

Ich sah ihn hart und eindringlich an. Ja, er liebte junge Menschen! Und hatte ich je mit irgend jemandem besser reden können als mit ihm? Wir hatten über alles gesprochen: über die Liebe, über den Tod, über Musik. Und nun gab er mich preis und machte mich wehrlos. Ich blickte ihn an und dachte: du liebst mich nicht mehr wie früher, du hast mich verraten. Und ich versuchte, ihm das verständlich zu machen, ohne es auszusprechen. Ich war am Rande der Verzweiflung. Er erwiderte meinen Blick und sah plötzlich beunruhigt aus; vielleicht verstand er, daß dies kein Spiel mehr war und daß unserer Freundschaft Gefahr drohte. Ich sah, daß er mit sich kämpfte und nicht wußte, wie er sich verhalten sollte. Anne wandte sich zu mir:

»Du schaust schlecht aus, ich mache mir Vorwürfe, daß ich dich zum Arbeiten zwinge.«

Ich antwortete nicht, ich verabscheute mich zu sehr wegen dieses Dramas, das ich aufgezogen hatte und nun nicht mehr aufhalten konnte. Wir waren fertig mit dem Essen. Draußen in dem rechteckigen Lichtschein, der durch das Speisezimmerfenster auf die Terrasse fiel, sah ich Annes

Hand, eine schmale, lebendige Hand, die sich suchend bewegte und dann die Hand meines Vaters fand. Ich dachte an Cyril und wünschte, er könnte mich auf dieser von Mondschein und Grillen überschwemmten Terrasse in seine Arme nehmen. Ich wollte liebkost, getröstet, mit mir selber ausgesöhnt werden. Mein Vater und Anne schwiegen. Sie hatten eine Nacht der Liebe vor sich, ich hatte Bergson. Ich versuchte zu weinen, mich selber zu bemitleiden – vergebens. Schon war es Anne, die ich bemitleidete, als wüßte ich bereits, daß ich sie besiegen würde.

ZWEITER TEIL

ERSTES KAPITEL

Von diesem Moment an haben meine Erinnerungen eine Deutlichkeit, die mich erstaunt. Ich begann die anderen und mich selber mit gesteigerter Aufmerksamkeit zu beobachten. Bisher hatte ich mir immer den Luxus erlaubt, spontan und egoistisch zu sein. Ich fand das natürlich und kannte nichts anderes. Diese wenigen Tage aber hatten mich so aufgewühlt, daß ich nachzudenken und mich selber zu beobachten begann. Ich durchlebte alle Schrecken der Selbstbetrachtung, ohne mich aber deshalb mit mir selber auszusöhnen. ›Was ich da empfinde‹, dachte ich, ›was ich Anne gegenüber empfinde, ist dumm und armselig, und der Wunsch, sie von meinem Vater zu trennen, ist grausam.‹ — Aber andererseits, warum mich anklagen? Da ich einfach nur ich selber war, hatte ich denn nicht die Freiheit, zu fühlen, was ich fühlte? Zum erstenmal in meinem Leben schien dieses Ich sich zu spalten, und die Entdeckung meiner Zwiespältigkeit erstaunte mich grenzenlos. Ich fand ausgezeichnete Entschuldigungen für mich und sagte sie mir leise vor und hielt mich für völlig aufrichtig, und dann tauchte plötzlich ein anderes Ich auf, das meine eigenen Argumente für falsch erklärte und mir zurief, daß, wenn sie auch den Anschein erweckten, wahr zu sein, ich mich täuschte und mir selber etwas vormachte. Aber war es in Wirklichkeit nicht vielleicht dieses andere Ich, das mich täuschte? Und war diese Hellsichtigkeit nicht der schlimmste aller Irrtümer? Stundenlang debattierte ich mit mir in meinem Zimmer, um mir darüber klarzuwerden, ob die Angst und die Feindseligkeit, die Anne mir gegenwärtig einflößte, berechtigt waren oder ob ich nichts anderes sei als ein verwöhntes, egoistisches kleines Mädchen mit einer falschen Vorstellung von Unabhängigkeit.

Ich wartete ab und wurde täglich magerer. Ich tat nichts, lag nur am Strand und schlief und bewahrte während der Mahlzeiten gegen meinen Willen ein ängstliches Schweigen, das schließlich bedrückend für die anderen wurde. Ich ließ Anne nicht aus den Augen, beobachtete sie ununterbrochen und sagte mir während der ganzen Mahlzeit immer wieder: ›Diese Bewegung, mit der sie sich ihm zugewandt hat, ist das nicht Liebe, eine Liebe, wie er sie nie mehr haben wird? Und die Art, wie sie mich anlächelt, mit diesem Schatten von Unruhe in den Augen, wie konnte ich ihr nur böse sein?‹ Aber dann sagte sie plötzlich: ›Wenn wir wieder in Paris sind, Raymond ...‹ Und schon sträubte ich mich gegen die Vorstellung, daß sie in unser Leben eindringen, es mit uns teilen würde. Sie schien mir nur aus Kälte und Berechnung zu bestehen. Ich sagte mir: ›Sie ist kalt, wir sind warm. Sie ist herrisch, wir sind unabhängig. Sie ist gleichgültig, die Menschen interessieren sie nicht, und wir nehmen leidenschaftlich Anteil an ihnen. Sie ist zurückhaltend, und wir sind lustig. Nur wir zwei, mein Vater und ich, sind wirklich lebendige Menschen, und sie wird sich mit ihrer Ruhe zwischen uns schleichen, sie wird sich an uns erwärmen und uns nach und nach unsere gute, sorglose Wärme nehmen, sie wird uns alles stehlen wie eine schöne Schlange.‹ Ich wiederholte leise für mich: ›Eine schöne Schlange ... eine schöne Schlange!‹ Sie reichte mir das Brot, und plötzlich wachte ich wieder auf und rief mir selber zu: ›Aber das ist doch verrückt! Es ist Anne, die intelligente Anne, die sich deiner angenommen hat. Ihre Kühle ist ihre Lebensform, du kannst keine Berechnung darin sehen; ihre Gleichgültigkeit schützt sie vor tausend schmutzigen kleinen Dingen, sie ist ein Beweis für ihre vornehme Gesinnung. – Eine schöne Schlange ...‹ Ich fühlte, wie ich blaß wurde vor Scham; ich blickte sie an und bat sie lautlos um Vergebung. Manchmal überraschte sie mich bei einem dieser Blicke. Erstaunen und Unsicherheit verdunkelten ihre Züge, und sie brach mitten in einem Satz ab. Instinktiv suchte sie den Blick meines Vaters; er sah sie mit Bewunderung oder voll Verlangen an und verstand die Ursache ihrer Unruhe nicht. So erreichte ich schließlich nach und nach, daß die Atmosphäre erstickend wurde, und verabscheute mich dafür ...

Mein Vater litt darunter, soweit es ihm in seiner Lage möglich war zu leiden. Das heißt: er litt wenig, denn er war verrückt nach Anne, verrückt vor Stolz und Begierde, und lebte für nichts anderes. Eines Tages jedoch, als ich nach dem ersten morgendlichen Bad im Sand lag und schon halb eingeschlafen war, setzte er sich neben mich und sah mich an. Ich spürte seinen Blick wie ein Gewicht. Ich wollte aufstehen und ihm mit der falschen Fröhlichkeit, die mir zur Gewohnheit geworden war, vorschlagen, ins Wasser zu gehen, als er seine Hand auf meinen Kopf legte und mit erhobener, klagender Stimme sagte:

»Anne, komm und schau dir diese Heuschrecke an! Sie ist nur noch Haut und Knochen. Wenn das Lernen so eine Wirkung auf sie hat, muß sie damit aufhören.«

Er glaubte, daß damit wieder alles in Ordnung sei, und vor zehn Tagen wäre das auch zweifellos der Fall gewesen. Aber ich war schon viel tiefer verstrickt, und die Arbeitsstunden am Nachmittag störten mich nicht mehr – allerdings hatte ich auch seit Bergson kein Buch mehr geöffnet.

Anne näherte sich uns. Ich blieb bäuchlings im Sande liegen und horchte aufmerksam auf das dumpfe Geräusch ihrer Schritte. Sie setzte sich an meine Seite und murmelte:

»Es ist wahr, daß es ihr nicht bekommt. Übrigens würde es völlig genügen, wenn sie wirklich arbeitete, anstatt in ihrem Zimmer herumzugehen.«

Ich drehte mich um und sah die beiden an. Woher wußte sie, daß ich nicht arbeitete? Vielleicht hatte sie sogar meine Gedanken erraten; sie ist zu allem fähig, dachte ich. Und das machte mir Angst.

»Ich gehe nicht in meinem Zimmer herum«, protestierte ich.

»Ist es dieser junge Mann, der dir fehlt?« fragte mein Vater.

»Nein!«

Das stimmte nicht ganz. Aber es war wahr, daß ich keine Zeit hatte, an Cyril zu denken.

»Und trotzdem bist du in keinem guten Zustand«, sagte mein Vater streng. »Anne, schau, wie sie aussieht. Sie ähnelt einem ausgenommenen Huhn, das man in der Sonne gebraten hat.«

»Meine kleine Cécile«, sagte Anne, »streng dich etwas an. Arbeite ein bißchen und iß viel. Dieses Examen ist wichtig . . .«

»Ich pfeife auf mein Examen«, rief ich, »versteht ihr, ich pfeife darauf!«

Ich blickte ihr voll ins Gesicht, verzweifelt, damit sie begriff, daß es um mehr ging als um ein Examen. Sie sollte sagen: »Also was ist es?« Sie sollte mich mit Fragen quälen, mich zwingen, ihr alles zu erzählen. Und natürlich würde sie mich dann überzeugen und nach ihrem Willen entscheiden — aber dafür würden mich diese bitteren und erniedrigenden Gefühle nicht mehr vergiften. Sie blickte mich forschend an, und ich sah das Blau ihrer Augen, die dunkel waren vor Aufmerksamkeit und Vorwurf. Und ich wußte, daß sie nie daran denken würde, mich auszufragen, mich zu erlösen, weil die Idee ihr gar nicht käme und weil sie fand, daß man so etwas nicht tut. Wahrscheinlich traute sie mir diese Gedanken, die mich verzehrten und vernichteten, gar nicht zu, oder wenn sie es doch tat, so erweckten sie in ihr nichts als Verachtung und Gleichgültigkeit. Und etwas anderes verdienten sie auch nicht. Anne beurteilte die Dinge immer genau nach ihrer Bedeutung. Und darum würde ich mich niemals mit ihr verständigen können.

Ich warf mich mit einer heftigen Bewegung wieder in den Sand und drückte meine Wange in die weiche Wärme des Strandes, ich seufzte, ich zitterte. Ruhig und sicher legte sich Annes Hand auf meinen Nacken und hielt mich einen Augenblick lang unbeweglich fest, bis mein nervöses Zittern wieder nachließ.

»Kompliziere dir dein Leben nicht«, sagte sie, »du warst immer so zufrieden, so voll von Leben, du hast dir über nichts Gedanken gemacht, und jetzt wirst du plötzlich grüblerisch und traurig. Das paßt nicht zu dir.«

»Ich weiß«, sagte ich. »Ich bin das junge, sorglose Geschöpf, gesund, dumm und immer vergnügt.«

»Komm mittagessen«, sagte sie.

Mein Vater war vorausgegangen; er haßte diese Art von Unterhaltung. Auf dem Weg nahm er meine Hand und hielt sie fest. Er hatte eine starke, tröstende Hand. Sie hatte mir bei meinem ersten Liebeskummer die Tränen getrocknet, sie hatte in den Augenblicken der Ruhe und des vollkommenen Glückes die meine gehalten und sie heimlich gedrückt, wenn ich sein Komplice war oder wir über irgend etwas unbändig lachen mußten. Diese Hand auf dem Lenkrad, diese Hand, die manchmal mühsam das Schlüsselloch suchte, diese Hand auf der Schulter einer Frau oder auf einer Zigarettendose – diese Hand war nicht mehr für mich da. Ich drückte sie sehr fest. Er wandte sich mir zu und lächelte.

ZWEITES KAPITEL

Es verstrichen zwei Tage: Ich ging in meinem Zimmer umher und zermarterte mein Hirn. Ich konnte mich nicht frei machen von der Zwangsvorstellung, daß Anne unser Leben zerstören würde. Ich machte keinen Versuch, Cyril wiederzusehen. Er hätte mich beruhigt, ich wäre glücklich mit ihm gewesen, und ich wollte nicht glücklich sein. Es bereitete mir sogar ein gewisses Vergnügen, mir unlösbare Fragen vorzulegen, mich an vergangene Tage zu erinnern und die Zukunft zu fürchten. Es war sehr heiß. Mein Zimmer lag im Halbdunkel, die Fenster waren geschlossen; trotzdem war die Luft unerträglich schwer und feucht. Ich lag auf meinem Bett, den Kopf zurückgelegt, und starrte auf die Zimmerdecke; ich bewegte mich so wenig wie möglich und nur, um eine kühle Stelle auf dem Leintuch zu suchen. Schlafen konnte ich nicht, aber am Fußende meines Bettes stand der Plattenspieler. Ich hatte ein paar langsame rhythmische Platten ohne Melodie aufgelegt. Ich rauchte viel, ich kam mir sehr verkommen vor, und das freute mich. Aber im Grunde konnte mich dieses Spiel nicht täuschen: Ich war traurig, ich fand mich nicht zurecht.

Eines Nachmittags klopfte das Stubenmädchen an meine Tür und teilte mir mit geheimnisvoller Miene mit, daß jemand unten sei. Ich dachte sofort an Cyril und ging hinunter. Aber es war nicht Cyril. Es war Elsa. Sie nahm meine beiden Hände und drückte sie innig. Ich schaute sie an und war überrascht von ihrer neuen Schönheit. Sie war endlich braun geworden, und die helle, regelmäßige Sonnenbräune stand ihr gut; sie sah gepflegt aus und strahlend jung.

»Ich bin gekommen, um meine Koffer zu holen«, sagte sie. »Juan hat mir zwar inzwischen ein paar Kleider gekauft, aber sie reichen nicht aus.«

Ich überlegte einen Moment, wer Juan sei, ging dann aber nicht weiter darauf ein. Ich freute mich, Elsa wiederzusehen. Sie brachte eine Atmosphäre von Bars, von ausgehaltenen Frauen und fröhlichen Abenden mit sich, die mich an glückliche Zeiten erinnerte. Ich sagte ihr, wie sehr ich mich freute, sie wiederzusehen, und sie versicherte mir, daß wir uns immer so gut verstanden hätten, weil wir so viele gemeinsame Interessen besäßen. Ich verbarg ein leichtes Schaudern und schlug ihr vor, in mein Zimmer hinaufzukommen, um zu vermeiden, daß sie meinem Vater und Anne begegnete. Als ich meinen Vater erwähnte, machte sie unwillkürlich eine kleine Bewegung mit dem Kopf, und ich dachte: ›Vielleicht liebt sie ihn noch immer . . . trotz Juan und seinen Kleidern.‹ Und ich dachte auch, daß ich diese Bewegung vor drei Wochen nicht bemerkt hätte.

In meinem Zimmer hörte ich zu, wie sie mir in den prächtigsten Farben das mondäne und berauschende Leben schilderte, das sie inzwischen an der Riviera geführt hatte. Ich spürte dunkel seltsame Gedanken in mir aufsteigen, die mir zum Teil ihr verändertes Aussehen eingab. Nach einer Weile hörte sie von selber auf zu reden, vielleicht weil ich zu lange geschwiegen hatte, machte ein paar Schritte ins Zimmer hinein und fragte mich, ohne sich nach mir umzudrehen, mit gleichgültiger Stimme, ob »Raymond gücklich sei«. Irgendwie hatte ich das Gefühl, einen Punkt für mich buchen zu können, und gleich darauf begriff ich auch, warum. Dann wirbelten mir zahllose Projekte durch den Kopf, Pläne entstanden, und ich fühlte, wie ich unter der Last meiner Überlegungen zusammenbrach. Und im gleichen Augenblick wußte ich auch, was ich ihr sagen mußte: »›Glücklich‹, das ist ein großes Wort! Anne läßt ihm nicht die Wahl, etwas anderes zu glauben. Sie ist sehr geschickt.«

»Sehr!« seufzte Elsa.

»Sie würden nie erraten, zu welchem Entschluß sie ihn gebracht hat... Sie wird ihn heiraten...«

Elsa wandte mir ein entsetztes Gesicht zu:

»Ihn heiraten? Raymond will heiraten – Raymond?«

»Ja«, sagte ich, »Raymond wird heiraten.«

Ein wildes Verlangen zu lachen saß mir plötzlich in der Kehle. Meine Hände zitterten. Elsa schien völlig vor den Kopf gestoßen, als ob ich ihr einen Schlag versetzt hätte. Man durfte ihr keine Zeit lassen, nachzudenken und zu dem Schluß zu kommen, daß mein Vater ja schließlich und endlich in dem Alter war, in dem man zu heiraten pflegt, und daß er nicht sein ganzes Leben mit Halbweltdamen verbringen könne. Ich beugte mich vor und senkte plötzlich meine Stimme, um sie zu beeindrucken:

»Es darf nicht dazu kommen, Elsa. Er leidet schon jetzt. Diese Ehe ist ein Ding der Unmöglichkeit, das verstehen Sie doch.«

»Ja«, sagte sie.

Sie blickte mich völlig fasziniert an. Das reizte mich zum Lachen, und mein nervöses Zittern nahm zu.

»Ich habe auf Sie gewartet«, fuhr ich fort. »Nur Sie allein sind der Aufgabe gewachsen, gegen Anne zu kämpfen. Sie allein haben das nötige Format.«

Natürlich war sie gern bereit, mir das zu glauben.

»Aber wenn er sie heiratet, so heißt das doch, daß er sie liebt«, wandte sie ein.

»Aber Elsa«, sagte ich sanft. »Er liebt doch nur Sie! Versuchen Sie nicht, mir einzureden, daß Sie das nicht wissen.«

Ich sah, wie ihre Augenlider flatterten. Sie wandte sich ab, um ihre Freude zu verbergen und die Hoffnung, die ich in ihr erweckt hatte. Ich handelte in einer Art Trance: Ich spürte genau, was ich ihr sagen mußte.

»Wissen Sie, sie hat mit dem Frieden häuslichen Eheglücks und mit der Moral gearbeitet«, sagte ich, »und so hat sie ihn 'rumgekriegt, verstehen Sie.«

Meine Worte überwältigten mich. Denn das, was ich soeben in einer zweifellos etwas primitiven und plumpen Form zum Ausdruck gebracht hatte, war im Grunde genau das, was ich dachte und empfand.

»Wenn diese Ehe zustande kommt, Elsa, ist es mit unserem Leben zu dritt aus. Wir müssen meinen Vater beschützen, er ist ein großes Kind... ein großes Kind...«

Ich sagte noch einmal mit Nachdruck: »Ein großes Kind.« Es klang, fand ich, etwas zu melodramatisch, aber Elsas schöne, grüne Augen verschleierten sich bereits vor Mitleid. Ich schloß wie in einem Kirchengesang:

»Helfen Sie mir, Elsa. Ich bitte Sie, es ist für Sie und für meinen Vater und für euer beider Liebe.«

Und im stillen fügte ich noch hinzu: »und für die lieben kleinen Osterhasen.«

»Aber was kann ich machen?« fragte Elsa. »Ich glaube, es ist unmöglich, etwas zu tun.«

»Wenn Sie es für unmöglich halten, Elsa, dann müssen Sie verzichten«, sagte ich mit dem, was man eine gebrochene Stimme nennt.

»So ein Luder!« murmelte Elsa.

»Das ist genau die richtige Bezeichnung«, sagte ich und wandte jetzt meinerseits das Gesicht ab.

Elsa lebte zusehends auf. Sie war lächerlich gemacht worden, sie würde es ihr zeigen, dieser Intrigantin, sie würde ihr zeigen, wozu sie, Elsa Mackenbourg, fähig war. Und mein Vater liebte sie, sie hatte es immer gewußt. Und sie selbst, sie hatte seinen Zauber an der Seite von Juan nicht vergessen können. Natürlich hatte sie nie mit ihm über das Thema »häusliches Glück« gesprochen, aber sie langweilte ihn auch nicht, sie versuchte nicht...

»Elsa«, sagte ich, denn ich ertrug sie nicht länger, »gehen Sie zu Cyril, sagen Sie, daß Sie von mir kommen und bei ihm wohnen wollen. Mit seiner Mutter wird er es schon irgendwie regeln. Sagen Sie ihm, daß ich morgen früh zu ihm kommen werde. Wir werden dann zu dritt alles besprechen.«

An der Türschwelle sagte ich noch im Scherz:

»Es ist Ihr Schicksal, Elsa, um das Sie kämpfen.«

Sie nickte ernsthaft, als ob ihr nicht Dutzende von Schicksalen bestimmt wären, so viele Schicksale wie Männer, die sie aushielten. Ich blickte ihr nach, wie sie mit tänzelnden Schritten im hellen Licht der Sonne fortging. Ich gab meinem Vater eine Woche, und er würde sie von neuem begehren.

Es war halb vier Uhr. Jetzt schlief er in den Armen von Anne. Und sie selbst lag gelöst, entspannt, aufgeblüht in der Hitze der Lust, in der Wärme des Glücks, und überließ sich dem Schlummer ... Rasch, ohne mich einen Moment zu besinnen, begann ich Pläne zu schmieden. Ich wanderte ununterbrochen in meinem Zimmer umher, ging zum Fenster und warf einen Blick auf das Meer – es war flach und vollkommen ruhig –, dann wieder zurück zur Tür und wieder zum Fenster. Ich stellte alle möglichen Erwägungen und Berechnungen an und machte nach und nach alle Einwände zunichte; ich hatte nie geahnt, wie biegsam und gelenkig ein Verstand sein kann, und kam mir gefährlich schlau vor. Seitdem ich Elsa gegenüber zum erstenmal meine Pläne geäußert hatte, überschwemmte mich eine Woge von Ekel vor mir selber, und dazu kam nun ein Gefühl von Stolz, von innerer Mitschuld, von Einsamkeit.

Und all das stürzte in sich zusammen – ist es überhaupt notwendig, es zu sagen? –, als die Stunde kam, wo wir baden gingen. Ich zitterte vor Reue gegenüber Anne, ich wußte gar nicht, was ich alles tun sollte, um es wiedergutzumachen. Ich trug ihre Tasche, ich überstürzte mich, um ihr den Bademantel zu halten, als sie aus dem Wasser kam, ich überhäufte sie mit Zuvorkommenheit, mit Liebenswürdigkeiten; dieser plötzliche Umschwung nach meinem störrischen Schweigen in den letzten Tagen mußte ihr natürlich auffallen, und sie war überrascht, ja schien sogar erfreut. Mein Vater war überglücklich. Anne dankte mir mit einem Lächeln, gab lustige Antworten, und ich dachte an »so ein Luder!« – »das ist genau die richtige Bezeichnung.« Wie hatte ich das nur sagen können? Wie war es möglich gewesen, daß ich Elsas Frechheiten geduldet hatte? Morgen würde ich ihr raten abzureisen, und ihr gestehen, daß ich mich geirrt hatte. Alles würde wieder so sein wie vorher, und mein Examen würde endlich doch zustande kommen! Es war sicher sehr nützlich, die Reifeprüfung zu bestehen.

»Nicht wahr?«

Ich wandte mich an Anne.

»Nicht wahr, es ist sehr nützlich, die Reifeprüfung zu bestehen?«

Sie sah mich an und lachte laut heraus. Ich lachte auch und war glücklich, sie so vergnügt zu sehen.

»Du bist unglaublich«, sagte sie.

Ja, ich war unglaublich, und wenn sie erst gewußt hätte,

was ich vorgehabt hatte! Ich starb vor Verlangen, ihr alles zu erzählen, damit sie sah, *wie* unglaublich ich wirklich war! ›Stellen Sie sich vor, daß ich Elsa eine Rolle in der Komödie gegeben habe: Sie sollte so tun, als sei sie in Cyril verliebt, sie sollte bei ihm wohnen, wir hätten sie beide im Boot vorüberfahren sehen, wir hätten sie im Wald getroffen und am Strand. Elsa ist wieder schön geworden. Oh, natürlich nicht Ihre Schönheit, aber sie hat etwas Strahlendes, Sinnliches, sie hat jene Art von Schönheit, nach der die Männer sich auf der Straße umdrehen. Mein Vater hätte das nicht lange ausgehalten. Er hat nie zugelassen, daß eine schöne Frau, die ihm gehört hat, sich so schnell und gewissermaßen vor seinen eigenen Augen tröstet – noch dazu mit einem Mann, der jünger ist als er. Verstehen Sie, Anne, er hätte, obwohl er Sie liebt, das Verlangen gehabt, sich über diesen Punkt Klarheit zu verschaffen. Er ist sehr eitel oder sehr wenig selbstbewußt, wie Sie wollen. Elsa hätte unter meiner Anleitung genau das Richtige getan. Eines Tages hätte er Sie betrogen, und Sie hätten das nicht ertragen, nicht wahr? Sie gehören nicht zu den Frauen, die teilen können. Sie wären weggefahren, und genau das wollte ich erreichen. Ja, es ist dumm, ich war böse auf Sie wegen Bergson, wegen der Hitze; ich bildete mir ein, daß ... nein, ich wage nicht, es zu sagen, es ist zu lächerlich, zu absurd. Nur wegen dieser Reifeprüfung hätte ich es über mich gebracht, Sie mit uns zu entzweien. Sie, Anne, die Freundin meiner Mutter, unsere Freundin. Und dabei ist die Reifeprüfung sicher sehr nützlich, nicht wahr?‹

»Nicht wahr?«

»Nicht wahr was?« sagte Anne. »Daß die Reifeprüfung nützlich ist?«

»Ja«, sagte ich.

Im Grunde war es besser, ihr nichts zu sagen, sie hätte es vielleicht nicht verstanden. Es gab Sachen, die Anne nicht verstand. Ich warf mich ins Wasser und schwamm meinem Vater nach, ich kämpfte mit ihm und fand sie wieder, die Freude am Spiel, am Wasser, an einem guten Gewissen. Morgen würde ich mein Zimmer wechseln, ich würde mich mit meinen Schulbüchern auf dem Dachboden einquartieren. Allerdings ohne Bergson, den würde ich nicht mitnehmen; man mußte nicht gleich übertreiben! Zwei gute Stunden Arbeit, der Geruch von Tinte und Papier, Einsamkeit, stilles, angestrengtes Lernen... Der Erfolg im Oktober, das erstaunte Lachen meines Vaters, das beifällige Lächeln Annes, das Zeugnis! Ich würde intelligent, gebildet und etwas teilnahmslos sein wie Anne. Vielleicht schlummerten intellektuelle Möglichkeiten in mir... Hatte ich nicht in fünf Minuten einen zwar schnöden, aber durchaus logischen Plan ausgeheckt? Und Elsa! Ich hatte sie bei ihrer Eitelkeit und ihrer Sentimentalität gepackt und sie in ein paar Augenblicken überzeugt – dabei war sie doch nur gekommen, um ihre Koffer abzuholen. Das war übrigens merkwürdig: Ich hatte Elsa aufs Korn genommen, ihre verwundbare Stelle entdeckt und gut gezielt, bevor ich zu sprechen begann. Zum erstenmal hatte ich erlebt, was für ein außerordentlicher Genuß es ist, ein Wesen zu durchschauen, hinter sein Geheimnis zu kommen, dieses ans Licht zu bringen und mitten ins Schwarze zu treffen. So wie man eine Sprungfeder leise berührt, die im gleichen Augenblick losschnellt, hatte ich versucht, behutsam, mit äußerster Vorsicht ihr Wesen zu ergründen – und schon hatte es sich offenbart. Getroffen! Ich kannte das nicht, ich war immer viel zu impulsiv gewesen. Wenn ich einen Menschen getroffen hatte, so nur aus Versehen. Plötzlich ahnte ich, wie wunderbar der Mechanismus menschlicher Reflexe, wie groß die Macht des Wortes war ... Wie schade, daß mir diese Erkenntnis durch die Lüge kam! Eines Tages würde ich jemanden leidenschaftlich lieben, und ich würde auf diese Art einen Weg zu ihm suchen, mit Vorsicht, mit Zartheit, mit zitternder Hand . . .

DRITTES KAPITEL

Am nächsten Morgen, auf dem Weg zu Cyrils Villa, war ich in bezug auf meine geistigen Fähigkeiten weit weniger selbstsicher. Zur Feier meiner Heilung hatte ich beim Abendessen sehr viel getrunken und war mehr als vergnügt gewesen. Ich erklärte meinem Vater, daß ich eine Literaturprüfung machen und mit gelehrten Männern Umgang pflegen würde und daß ich berühmt und unerträglich langweilig werden wollte. Und er sollte die ganze Macht der Reklame und des Skandals entfalten, um mich zu lancieren. Wir kamen auf die albernsten Ideen und lachten, bis wir nicht mehr konnten. Anne lachte auch, aber weniger laut und mit einer Art milder Nachsicht. Von Zeit zu Zeit lachte sie gar nicht, wenn meine Vorschläge, wie ich zu lancieren sei, über den Rahmen der Literatur und des einfachen Anstandes hinausgingen. Aber mein Vater war so offensichlich glücklich darüber, wieder dumme Witze mit mir machen zu können, daß sie nichts sagte. Schließlich brachten sie mich zu Bett und deckten mich zu. Ich dankte ihnen leidenschaftlich und sagte, daß ich nicht wüßte, was ich ohne sie machen würde. Mein Vater wußte es auch nicht, aber Anne schien eine ziemlich brutale Antwort bereit zu haben, doch als ich sie bat, sie mir zu sagen, und sie sich über mich beugte, übermannte mich der Schlaf.

Mitten in der Nacht wurde mir schlecht. Das Aufwachen am Morgen war unangenehmer als alles, was ich bisher in dieser Beziehung erlebt hatte. Mit vagen Gedanken und zögerndem Herzen ging ich auf den Fichtenwald zu, ohne das morgendliche Meer und die aufgeregten Möwen zu bemerken.

Ich sah Cyril am Eingang des Gartens stehen. Er stürzte auf mich zu, nahm mich in seine Arme, drückte mich leidenschaftlich an sich und murmelte verworrene Worte:

»Mein Liebstes, ich war so besorgt... Es ist schon so lange her... Ich wußte nicht, was du tust, ob diese Frau dich unglücklich macht... Ich wußte nicht, daß ich so unglücklich sein könnte... Ich bin jeden Nachmittag an der Bucht vorbeigefahren, einmal, zweimal... Ich wußte nicht, daß ich dich so sehr liebe...«

»Ich auch nicht«, sagte ich.

Wirklich, es überraschte und bewegte mich zugleich. Ich bedauerte, daß mir zu übel war, um meine Gefühle zeigen zu können.

»Du bist blaß«, sagte er. »Jetzt werde ich mich um dich kümmern; ich lasse nicht länger zu, daß du schlecht behandelt wirst.«

Elsa schien ihrer Phantasie freien Lauf gelassen zu haben. Ich fragte Cyril, was seine Mutter dazu sage.

»Ich habe sie ihr als eine Freundin, eine Waise vorgestellt«, sagte Cyril. »Sie ist übrigens sehr sympathisch, deine Elsa. Sie hat mir alles über diese Frau erzählt. Seltsam, daß jemand mit einem so feinen und rassigen Gesicht so eine Intrigantin sein kann.«

»Elsa hat sehr übertrieben«, sagte ich schüchtern. »Ich wollte ihr gerade sagen, daß ...«

»Ich habe dir auch etwas zu sagen«, unterbrach mich Cyril. »Cécile, ich möchte dich heiraten.«

Ich hatte einen Moment der Panik: Ich mußte etwas tun, etwas sagen! Wenn mir nicht so grauenhaft übel gewesen wäre ...

»Ich liebe dich«, murmelte Cyril in meine Haare. »Ich höre auf mit meinem Studium, man hat mir eine interessante Stellung angeboten ... ein Onkel ... Ich bin sechsundzwanzig, ich bin kein Kind mehr, ich meine es ernst. Was sagst du dazu?«

Ich suchte verzweifelt nach einer schönen, vieldeutigen Phrase. Ich wollte ihn nicht heiraten. Ich liebte ihn, aber ich wollte ihn nicht heiraten. Ich wollte überhaupt niemanden heiraten, ich war müde.

»Es ist unmöglich«, stammelte ich. »Mein Vater ...«

»Mit deinem Vater rede ich schon«, sagte Cyril.

»Anne wird es nicht zulassen«, sagte ich. »Sie behauptet, ich bin noch nicht erwachsen. Und wenn sie nein sagt, sagt mein Vater auch nein. Ich bin so müde, Cyril, diese Aufregungen machen mich ganz schwach. Setzen wir uns. Da ist Elsa.«

Sie kam im Morgenrock herunter, frisch und strahlend. Ich kam mir unscheinbar und mager vor. Sie sahen beide so gesund und blühend und angeregt aus, daß ich noch niedergeschlagener wurde. Elsa installierte mich so schonungsvoll und behutsam in einem Sessel, als ob ich gerade aus dem Gefängnis gekommen sei.

»Wie geht es Raymond?« fragte sie. »Weiß er, daß ich dagewesen bin?«

Sie hatte das glückliche Lächeln eines Menschen, der verziehen hat und voller Hoffnung ist. Ich konnte ihr nicht sagen, daß mein Vater sie vergessen hatte, und ich konnte Cyril nicht sagen, daß ich ihn nicht heiraten wollte. Ich schloß die Augen. Cyril ging hinauf, um Kaffee zu holen. Elsa redete und redete, sie hielt mich offensichtlich für eine äußerst scharfsinnige Person und brachte mir ein unbegrenztes Vertrauen entgegen. Der Kaffee war sehr stark, er duftete köstlich, und die Sonne war warm und gab mir neue Kräfte.

»Ich habe viel nachgedacht, aber ich habe keine Lösung gefunden«, sagte Elsa.

»Es gibt keine«, sagte Cyril. »Es ist eine Verblendung, eine Behexung – dagegen ist nichts zu machen.«

»Doch«, sagte ich. »Es gibt ein Mittel. Ihr habt überhaupt keine Phantasie.«

Es schmeichelte mir, zu sehen, wie gespannt sie auf meine Erklärungen warteten. Sie waren zehn Jahre älter als ich und kamen auf keine Idee! Ich nahm eine ungezwungene Miene an.

»Es ist eine Frage der Psychologie«, sagte ich.

Ich sprach lange und erklärte ihnen meinen Plan. Sie machten dieselben Einwendungen, die ich am Abend zuvor gemacht hatte, und es bereitete mir ein heftiges Vergnügen, ihre Bedenken zu zerstreuen. Es war überflüssig, aber ich wollte sie unbedingt überzeugen und redete mich in eine Leidenschaft hinein. Ich erklärte ihnen, daß es möglich sei. Jetzt mußte ich ihnen nur noch erklären, daß es nicht geschehen durfte, aber dafür fehlten mir ähnlich logische Argumente.

»Mir gefallen diese Intrigen nicht«, sagte Cyril, »aber wenn es das einzige Mittel ist, um dich zu heiraten, bin ich damit einverstanden.«

»Es ist nicht wirklich Annes Schuld«, sagte ich.

»Sie wissen genau, Cécile, daß, wenn sie bleibt, Sie den Mann heiraten müssen, den sie aussucht«, sagte Elsa.

Das war vielleicht richtig. Ich sah Anne, wie sie mir an meinem zwanzigsten Geburtstag einen jungen Mann vorstellte – einen jungen Mann mit einer Universitätsprüfung, dem eine glänzende Karriere bevorstand, der intelligent, ausgeglichen und garantiert treu war. Eine Beschreibung übrigens, die sehr weitgehend auf Cyril zutraf. Ich mußte lachen.

»Ich bitte dich, lach nicht«, sagte Cyril. »Sag, daß du eifersüchtig sein wirst, wenn ich so tun werde, als ob ich Elsa liebte. Wie konntest du dir so etwas überhaupt nur ausdenken? Liebst du mich?«

Er sprach leise. Elsa hatte sich diskret zurückgezogen.

Ich sah in sein braunes, gespanntes Gesicht, in seine dunklen Augen. Er liebte mich, und das beeindruckte mich auf eine seltsame Art. Ich blickte auf seinen Mund, seine Lippen waren feucht und rot und so nah... Ich kam mir nicht mehr intellektuell vor. Sein Gesicht kam näher, und als unsere Lippen sich leise berührten, erkannten sie einander wieder. Ich blieb mit offenen Augen sitzen. Sein Mund lag regungslos auf meinem, ein warmer, fester Mund. Ein leichtes Zittern durchlief ihn, und um es zu ersticken, neigte Cyril sich noch näher zu mir; seine Lippen öffneten sich, sein Kuß wurde lebendig, herrisch, wissend, allzu wissend... Und ich begriff, daß ich mehr Begabung hatte, einen jungen Mann in der Sonne zu küssen als ein Examen zu machen. Ich rückte etwas von ihm ab, mein Atem ging schnell.

»Cécile, wir müssen zusammen leben. Ich werde diese Komödie mit Elsa spielen.«

Ich fragte mich, ob meine Berechnungen stimmten. Ich war die Seele, der Regisseur dieser kleinen Komödie. Ich konnte sie jederzeit verhindern.

»Du hast komische Ideen«, sagte Cyril und lächelte sein kleines, schiefes Lächeln, mit dem er aussah wie ein Bandit, wie ein sehr schöner Bandit...

»Küß mich«, murmelte ich, »küß mich schnell.«

Und so geschah es, daß ich das Stichwort zum Beginn dieser Komödie gab. Gegen meinen Willen, aus Lässigkeit und Neugier. In manchen Augenblicken wünschte ich, ich hätte es willentlich, aus Haß und aus Leidenschaft getan, damit ich mich wenigstens anklagen könnte, mich selbst, und nicht meine Trägheit, die Sonne und Cyrils Küsse.

Nach einer Stunde verließ ich meine Mitverschworenen ziemlich niedergeschlagen. Es blieb mir immer noch eine Reihe von Argumenten, mit denen ich mich beruhigen konnte: Vielleicht war mein Plan schlecht, vielleicht würde mein Vater in seiner Leidenschaft so weit gehen, daß er Anne treu blieb. Dazu kam, daß weder Cyril noch Elsa irgend etwas ohne mich machen konnten. Ich würde sicher einen Grund finden, das Spiel zu beenden, sobald es den Anschein hatte, daß mein Vater in die Falle ging. Es war immerhin unterhaltend, es zu versuchen und zu sehen, ob meine psychologischen Berechnungen richtig oder falsch waren.

Und dann, Cyril liebte mich, Cyril wollte mich heiraten. Der Gedanke daran genügte, um mich überglücklich zu machen. Wenn er ein oder zwei Jahre, solange bis ich erwachsen war, warten konnte, würde ich seinen Antrag annehmen. Ich sah mich schon mit Cyril leben, in seinen Armen schlafen, ihn nie verlassen. Jeden Sonntag würden wir mit Anne und meinem Vater – dem glücklichen Ehepaar – Mittag essen, vielleicht sogar mit Cyrils Mutter, was dazu beitragen würde, diesem Mahl Atmosphäre zu geben.

Ich begegnete Anne auf der Terrasse; sie ging zum Strand hinunter, mein Vater war schon vorausgegangen. Sie empfing mich mit dem ironischen Lächeln, mit dem man Leute begrüßt, die am Abend vorher zuviel getrunken haben. Ich fragte sie, was sie mir gestern, bevor ich einschlief, hatte sagen wollen, aber sie weigerte sich lachend, mit dem Vorwand, es würde mich verletzen. Mein Vater kam aus dem Wasser, groß, muskulös; er erschien mir prachtvoll. Anne und ich gingen zusammen ins Meer. Sie schwamm behutsam, den Kopf über dem Wasser, um ihre Frisur nicht zu zerstören. Dann legten wir uns alle drei Schulter an Schulter flach auf den Bauch, ich in ihrer Mitte, schweigsam und ruhevoll.

Und dann tauchte das Boot mit vollen Segeln am Ende der Bucht auf. Mein Vater sah es zuerst.

»Der gute Cyril hat es nicht mehr ausgehalten«, sagte er lachend. »Anne, verzeihen wir ihm? Im Grunde ist er doch ein netter Kerl.«

Ich hob den Kopf, ich spürte die Gefahr:

»Aber was macht er da?« sagte mein Vater. »Er umsegelt die Bucht. Ah, aber er ist nicht allein . . .«

Nun hob Anne den Kopf. Das Boot segelte an uns vorüber. Ich konnte Cyrils Gesicht erkennen, und im Geiste flehte ich ihn an, wieder zu verschwinden.

Und als ich dann den Ausruf meines Vaters hörte, schreckte ich hoch, obwohl ich schon seit zwei Minuten darauf wartete:

»Aber . . . aber das ist ja Elsa! Was macht sie denn da?«

Er drehte sich zu Anne um:

»Dieses Mädchen ist erstaunlich! Sie scheint sich den armen Burschen geangelt zu haben, und wahrscheinlich hat sie sich bei der alten Dame lieb Kind gemacht.«

Aber Anne hörte ihm nicht zu. Sie sah mich an. Unsere Augen trafen sich, und ich legte mein Gesicht wieder in den Sand; namenlose Scham überflutete mich. Ihre Hand kam näher und legte sich auf meinen Hals.

»Schau mich an, bist du mir böse?«

Ich öffnete die Augen. Sie neigte sich mit einem unruhigen, fast flehenden Blick über mich. Zum erstenmal schaute sie mich so an, wie man ein denkendes und fühlendes Wesen anschaut, und das gerade an dem Tag, an dem ... Ich stieß einen Seufzer aus und wandte meinen Kopf mit einer heftigen Bewegung meinem Vater zu, um mich von ihrer Hand zu befreien. Er blickte zu dem Boot hinüber.

»Mein armes kleines Mädchen«, hörte ich wieder Annes Stimme leise und sanft. »Meine arme kleine Cécile, ein wenig ist es meine Schuld, ich hätte nicht so starrsinnig sein dürfen ... Ich wollte dir nicht weh tun, glaubst du das?«

Sie strich zärtlich über meine Haare und meinen Nacken. Ich lag bewegungslos und hatte das gleiche seltsame Gefühl, das man empfindet, wenn eine zurückflutende Woge einem den Sand unter dem Körper wegschwemmt: Ein Verlangen nach Hingabe, nach Weichheit hatte mich erfaßt, und noch nie hatte irgendeine Gemütsbewegung, weder Zorn noch Begierde, mich so mitgerissen wie diese. Die Komödie aufgeben, mein Leben ihr anvertrauen, mich ganz in ihre Hände geben, bis ans Ende meiner Tage! Noch nie hatte mich ein so heftiges, so überströmendes Gefühl von Schwäche erfüllt. Ich schloß die Augen. Es schien mir, als ob mein Herz aufhörte zu schlagen.

VIERTES KAPITEL

Mein Vater hatte nichts anderes gezeigt als Erstaunen. Das Stubenmädchen hatte ihm erzählt, daß Elsa dagewesen sei, um ihre Koffer zu holen, gleich darauf aber wieder gegangen sei. Ich weiß nicht, warum sie ihm nichts über unsere Unterhaltung gesagt hatte. Sie war ein Mädchen vom Land, sehr schwärmerisch, sie mußte sich eine ziemlich romantische Vorstellung von unserem Zusammenleben machen, besonders durch die verschiedenen Umquartierungen, die sie durchgeführt hatte.

Mein Vater und Anne, die sich meinetwegen Vorwürfe machten, überschütteten mich mit Aufmerksamkeit und Güte, was mir zuerst unerträglich war, mir jedoch bald sehr angenehm wurde. Aber obwohl ich es ja selber inszeniert hatte, war es durchaus nicht angenehm, ununterbrochen Elsa und Cyril zu begegnen: Arm in Arm, mit allen Anzeichen eines vollkommenen Einverständnisses. Ich konnte keine Bootsfahrten mehr machen, aber dafür konnte ich Elsa vorüberfahren sehen; ihre Haare waren vom Wind zerzaust, wie meine es gewesen waren. Es fiel mir nicht schwer, eine verschlossene und scheinbar gleichgültige Miene aufzusetzen, wenn wir einander begegneten. Denn wir trafen sie überall: im Fichtenwald, im Dorf, auf der Straße. Anne warf mir einen Blick zu, redete schnell von anderen Dingen und legte mir die Hand auf die Schulter, um mich zu trösten. Habe ich gesagt, daß sie gut war? Ich weiß nicht, ob ihre Güte eine geläuterte Form ihrer Intelligenz oder, noch einfacher, ihrer Gleichgültigkeit war, aber sie hatte immer die richtige Geste, das richtige Wort, und wenn ich wirklich gelitten hätte, hätte ich keinen besseren Halt haben können als sie.

Ich ließ mich gehen, ich war kaum beunruhigt, denn, wie ich schon gesagt habe, mein Vater zeigte nicht die geringste Eifersucht. Das bewies mir einerseits, wie stark er mit Anne verbunden war, und ärgerte mich etwas, weil es mir andererseits die Nichtigkeit meiner Pläne vor Augen hielt. Eines Tages betraten mein Vater und ich gerade das Postgebäude, als Elsa unseren Weg kreuzte; sie schien uns nicht zu sehen, und mein Vater drehte sich nach ihr um wie nach einer Unbekannten und pfiff leise durch die Zähne.

»Du, Cécile, diese Elsa ist riesig hübsch geworden.«

»Die Liebe bekommt ihr gut«, sagte ich.

Er warf mir einen erstaunten Blick zu:

»Dir scheint das weniger auszumachen . . .«

»Was willst du«, sagte ich. »Sie sind gleich alt, das war unvermeidlich.«

»Ohne Anne wäre es gar nicht unvermeidlich gewesen . . .«

Er war wütend.

»Du glaubst doch nicht, daß mir so ein Schlingel eine Frau wegnimmt, wenn ich es nicht will...«

»Das Alter spielt doch eine Rolle«, sagte ich ernsthaft.

Er zuckte die Achseln. Auf dem Rückweg war er zerstreut; vielleicht dachte er daran, daß Elsa wirklich jung war und Cyril auch und daß er, wenn er nun eine Frau heiratete, die so alt war wie er, nicht mehr zu den Männern gehören würde, die kein Geburtsdatum haben. Unwillkürlich empfand ich etwas wie ein Triumphgefühl. Als ich dann Anne sah und die kleinen Runzeln um ihre Augen und die leichte Falte am Mund, ärgerte ich mich über mich selber. Aber es war so leicht, meinen Impulsen nachzugeben und es nachher zu bereuen.

Eine Woche verging. Cyril und Elsa, die nicht wissen konnten, wie die Sache stand, erwarteten sicher täglich meinen Besuch. Ich wagte nicht hinzugehen, sie hätten mir neue Ideen abgezwungen, und das wollte ich nicht. Übrigens ging ich nachmittags immer auf mein Zimmer, angeblich um dort zu arbeiten. Tatsächlich machte ich gar nichts. Ich hatte ein Buch über Joga gefunden und mich mit Eifer und Überzeugung darin vertieft. Manchmal mußte ich unbändig lachen, aber ich lachte leise, aus Angst, daß Anne mich hören könnte, denn ich hatte ihr erzählt, daß ich unablässig arbeitete. Ich spielte ihr gegenüber ein wenig die Rolle der enttäuschten Geliebten, die in der Hoffnung Trost sucht, dereinst eine große Gelehrte zu werden. Ich hatte den Eindruck, daß sie mich dafür achtete, und ich ging so weit, bei Tisch Kant zu zitieren, was meinen Vater offensichtlich zur Verzweiflung brachte.

Eines Nachmittags hatte ich mich in ein paar Handtücher gewickelt, um mehr wie ein Hindu auszusehen. Ich hatte meinen rechten Fuß auf meinen linken Oberschenkel gelegt und starrte mich unverwandt im Spiegel an – nicht aus Wohlgefallen, sondern weil ich hoffte, mich so in den erhabenen Zustand eines Jogi zu versetzen –, als jemand an die Tür klopfte. Ich glaubte, es sei das Stubenmädchen, und da sie noch nie durch irgend etwas aus der Fassung gebracht worden war, rief ich ihr zu, hereinzukommen.

Es war Anne. Sie blieb eine Sekunde völlig erstarrt in der Tür stehen und lächelte dann:

»Was spielst du denn da?«

»Jogi«, sagte ich. »Aber es ist kein Spiel, es ist eine Hindu-Philosophie.«

Sie ging auf den Tisch zu und nahm mein Buch in die Hand. Es war auf Seite hundert aufgeschlagen, und die anderen Seiten waren von oben bis unten vollgekritzelt mit Bemerkungen wie »unpraktisch« oder »anstrengend«.

»Du bist sehr gewissenhaft«, sagte sie. »Und diese berühmte Abhandlung über Pascal, von der du uns so viel erzählt hast, was ist aus der geworden?«

Es ist wahr, daß es mir Spaß gemacht hatte, beim Essen einen Vortrag über einen Satz von Pascal zu halten, und ich hatte so getan, als ob ich viel darüber nachgedacht und geschrieben hätte. Natürlich hatte ich nicht ein einziges Wort geschrieben. Ich blieb unbeweglich sitzen.

»Daß du nicht arbeitest und vor dem Spiegel Hampelmann spielst, ist deine Angelegenheit!« sagte sie. »Aber daß es dir dann Spaß macht, deinen Vater und mich zu belügen, finde ich sehr viel schlimmer. Übrigens hat mich deine plötzliche geistige Aktivität sehr erstaunt ...«

Sie ging wieder, und ich blieb wie versteinert in meinen Handtüchern sitzen; ich verstand nicht, daß sie das »lügen« nannte. Ich hatte von Pascal gesprochen, weil es mich unterhielt, über ihn zu sprechen, und ich hatte von einer Abhandlung geredet, um ihr Freude zu machen – und plötzlich strafte sie mich mit Verachtung. Ich hatte mich an ihre liebevolle Haltung mir gegenüber gewöhnt, und die ruhige, demütigende Art, mit der sie mir jetzt ihre Geringschätzung zeigte, machte mich besinnungslos vor Zorn. Ich stieg aus meiner Verkleidung heraus, schlüpfte in eine Hose und eine Hemdbluse und lief aus dem Hause. Draußen war es glühend heiß, aber ich rannte, getrieben von einer Wut, die um so heftiger war, als ich nicht wußte, ob ich mich ihrer schämen sollte. Ich lief bis zu Cyrils Villa und blieb keuchend und nach Atem ringend an der Schwelle stehen. In der Hitze des Nachmittags hatten die Häuser eine seltsame Tiefe: schweigend, unergründlich umschlossen sie ihr Geheimnis. Ich ging in Cyrils Zimmer hinauf; er hatte es mir an dem Tag gezeigt, an dem wir seine Mutter besuchten. Ich öffnete die Tür: Er schlief, quer über seinem Bett liegend, die Wange auf den Arm gedrückt. Ich blickte ihn einen Moment lang an. Leise rief ich seinen Namen; er öffnete die Augen und setzte sich sofort auf, als er mich sah.

»Du? Wie kommst du hierher?«

Ich machte ihm ein Zeichen, nicht so laut zu reden; wenn seine Mutter heraufkäme und mich in dem Zimmer ihres Sohnes anträfe, könnte sie glauben . . . Und wer würde übrigens nicht glauben? Mich erfaßte plötzlich eine panische Angst, und ich ging auf die Tür zu.

»Aber wo gehst du hin?« rief Ceryl. »Komm zurück . . . Cécile.«

Er hatte mich am Arm gepackt und hielt mich lachend fest. Ich drehte mich um und blickte ihn an. Er wurde blaß, so blaß, wie ich selbst sein mußte – und ließ mich los, aber nur um mich wieder in die Arme zu nehmen und an sich zu ziehen. Ich dachte wirr: Es mußte kommen, es mußte kommen! Und dann war es der Reigen der Liebe: die Angst, die der Begierde die Hand reicht, die Zärtlichkeit und das Rasen und der jähe Schmerz, dem triumphierend die Lust folgt. Ich hatte das Glück, sie schon an diesem Tage kennenzulernen – Cyril hatte die nötige Zartheit.

Ich blieb eine Stunde lang bei ihm, betäubt und erstaunt. Ich hatte von der Liebe immer reden hören, als sei sie ein leichtes Ding. In der Unwissenheit meines Alters hatte ich selbst unverblümt über sie gesprochen, und es schien mir, ich würde niemals wieder so über sie reden können: so nüchtern und unbeteiligt . . . Cyril lag ausgestreckt neben mir und sprach davon, mich zu heiraten und mich sein ganzes Leben lang bei sich zu behalten. Mein Schweigen beunruhigte ihn. Ich richtete mich auf, blickte ihn an und nannte ihn »mein Geliebter«. Er hob mir sein Gesicht entgegen. Ich legte meinen Mund auf die Ader an seinem Hals, die noch immer klopfte, und murmelte: »Mein Liebster, Cyril, mein Liebster.« Ich weiß nicht, ob es Liebe war, was ich in diesem Augenblick für ihn empfand – ich war nie sehr beständig und halte nichts davon, mich anders zu sehen, als ich bin –, aber in diesem Augenblick liebte ich ihn mehr als mich selber; ich hätte mein Leben für ihn gegeben. Als ich fortging, fragte er mich, ob ich ihm böse sei, und darüber mußte ich lachen. Ihm böse sein für dieses Glück! ...

Ich ging mit langsamen Schritten, schwerfällig und erschöpft durch den Fichtenwald nach Hause; ich hatte Cyril gebeten, mich nicht zu begleiten, es wäre zu gefährlich gewesen. Ich fürchtete, daß in meinem Gesicht die Zeichen der Lust deutlich zu lesen stünden: in einem Zittern, in den umschatteten Augen, in der Wölbung des Mundes. Vor dem Haus lag Anne auf einem Liegestuhl und las. Ich hatte schon eine Reihe hübscher Lügen bereit, um meine Abwesenheit zu erklären, aber sie stellte mir keine Fragen – sie stellte nie Fragen. Ich setzte mich schweigend neben sie und dachte daran, daß wir uns vor kurzem gestritten hatten. Ich bewegte mich nicht, meine Augen waren halb geschlossen, und ich beobachtete den Rhythmus meines Atems und das Zittern meiner Finger. Von Zeit zu Zeit kam die Erinnerung an Cyrils Körper, die Erinnerung an gewisse Augenblicke, und leerte mein Herz.

Ich nahm eine Zigarette vom Tisch und rieb ein Zündholz an der Schachtel. Es erlosch. Ich zündete vorsichtig ein zweites an, denn es war kein Wind, und nur meine Hand zitterte. Es erlosch, als ich es an die Zigarette hielt. Ich schimpfte leise vor mich hin und nahm ein drittes. Und dann, ich weiß nicht warum, bekam dieses Zündholz für mich eine lebenswichtige Bedeutung; vielleicht weil Anne, plötzlich aus ihrer Gleichgültigkeit gerissen, mich ohne Lächeln aufmerksam anblickte. Und in diesem Moment waren Zeit und Umgebung ausgelöscht, und es existierte nichts mehr als dieses Zündholz, meine Finger, die es hielten, die graue Schachtel und Annes Blick. Mein Herz begann wild und mit großen Schlägen zu klopfen, meine Finger umkrampften das Zündholz, es flammte auf, und während sich mein Gesicht gierig der Flamme zuneigte, wurde sie von der Zigarette erstickt. Ich ließ die Schachtel zu Boden fallen und schloß die Augen. Annes harter, fragender Blick lastete auf mir wie ein Gewicht. Ich flehte irgend jemanden um irgend etwas an, damit dieses Warten aufhöre. Annes Hände hoben mein Gesicht hoch, ich drückte die Augen zu, aus Angst, sie könnte in meinem Blick lesen. Ich spürte Tränen der Erschöpfung, der Ungeschicklichkeit, der Freude unter meinen Lidern hervorquellen. Und dann, als ob sie auf alle Fragen verzichtete, nahm Anne mit einer sanften Geste der Beschwichtigung, des Nichtwissen-Wollens ihre Hände von meinem Gesicht und ließ mich los. Sie steckte mir eine angezündete Zigarette in den Mund und versenkte sich wieder in ihr Buch.

Ich habe dieser Geste einen symbolischen Sinn gegeben — ich habe versucht, ihr einen solchen Sinn zu geben. Aber heute, wenn ich kein Zündholz bei mir habe, wird dieser seltsame Augenblick wieder in mir lebendig, dieser Abgrund zwischen meinen Gebärden und mir selber, das Gewicht von Annes Blick und die Leere rings um mich, diese gespannte, intensive Leere...

FÜNFTES KAPITEL

Dieses Ereignis, von dem ich gerade gesprochen habe, sollte nicht ohne Folgen bleiben. Wie gewisse Menschen, die sehr maßvoll in ihren Reaktionen und sehr selbstsicher sind, duldete Anne keine Kompromisse. Aber diese Geste, dieses zarte Lösen ihrer harten Hände von meinem Gesicht war für sie ein Kompromiß gewesen. Sie hatte etwas geahnt, und sie hätte mich dazu bringen können, es zu gestehen, doch im letzten Moment hatte ihr Mitgefühl – oder ihre Gleichgültigkeit gesiegt. Denn sich mit mir zu beschäftigen und mich abzurichten, fiel ihr genauso schwer wie meine Schwächen hinzunehmen. Sie spielte diese Rolle eines Vormunds und einer Erzieherin einzig und allein aus Verantwortungsgefühl: Weil sie meinen Vater heiratete, fühlte sie sich auch verpflichtet, sich um mich zu kümmern. Mir wäre es lieber gewesen, diese konstante Mißbilligung hätte ihre Ursache in einem oberflächlicheren Gefühl gehabt oder in der Tatsache, daß ich ihr auf die Nerven ging. Dann hätte sehr schnell die Gewohnheit gesiegt. Man gewöhnt sich an die Fehler anderer, wenn man sich nicht verpflichtet fühlt, sie zu korrigieren. Nach sechs Monaten wäre sie meiner müde geworden und hätte nichts mehr für mich empfunden als eine Art liebevoller Duldsamkeit; und das ist genau das, was ich gebraucht hätte. Aber sie würde nicht so empfinden; sie würde sich für mich verantwortlich fühlen und es in gewissem Sinne auch sein, denn im wesentlichen war ich noch formbar. Ich war formbar und eigensinnig.

Und so machte sie sich Vorwürfe und und ließ es mich fühlen. Ein paar Tage später hatten wir beim Mittagessen eine Auseinandersetzung: wieder über das unerträgliche Thema meiner Ferienarbeit. Ich ging etwas zu weit, selbst mein Vater wurde ärgerlich, und schließlich sperrte Anne mich in mein Zimmer ein, alles ohne daß auch nur ein einziges lautes Wort aus ihrem Munde kam. Ich wußte nicht, was sie getan hatte, und da ich plötzlich durstig wurde, ging ich zur Tür und versuchte sie zu öffnen; sie gab nicht nach, und jetzt begriff ich erst, daß sie versperrt war. Ich war noch nie in meinem Leben eingesperrt gewesen, eine Panik erfaßte mich, eine regelrechte Panik. Ich lief zum Fenster, aber es war unmöglich, dort herauszukommen. Ich drehte mich wieder um, ich war wirklich halbverrückt vor Angst, ich warf mich gegen die Tür und tat mir sehr weh an der Schulter. Mit zusammengebissenen Zähnen versuchte ich das Schloß aufzubrechen; ich wollte nicht rufen, daß man mir öffne. Meine Nagelschere blieb im Schloß stecken. Dann stand ich völlig regungslos mit leeren Händen mitten im Zimmer, und während meine Gedanken sich langsam ordneten, spürte ich eine Art von Ruhe und Frieden in mir aufsteigen. Es war das erste Mal, daß ich Grausamkeit kennenlernte. Ich fühlte, wie sie mich verkrampfte, wie sie nach und nach meine Gedanken einzwängte. Ich legte mich auf mein Bett und schmiedete sorgfältig einen Plan. Meine unbändige Wut stand in einem solchen Mißverhältnis zu ihrer Ursache, daß ich zwei- oder dreimal am Nachmittag aufstand, um aus dem Zimmer zu gehen, und sehr erstaunt war, als ich mich an der verschlossenen Tür anstieß.

Um sechs Uhr kam mein Vater herauf, um mir die Tür zu öffnen. Ich stand mechanisch auf, als er ins Zimmer trat. Er blickte mich an, ohne etwas zu sagen, und ich lächelte mechanisch.

»Willst du, daß wir darüber reden?« fragte er.

»Worüber?« sagte ich. »Dir ist so etwas doch ein Greuel und mir auch. Diese Sorte von Erklärungen, die zu nichts führen ...«

»Das ist wahr.« Er schien erleichtert. »Du mußt nett zu Anne sein und geduldig.«

Dieses Wort überraschte mich: Ich sollte geduldig mit Anne sein ... Er kehrte das Problem um. Im Grunde betrachtete er Anne als eine Frau, die er seiner Tochter aufzwang, und nicht umgekehrt. Man soll nie aufhören zu hoffen.

»Ich war ekelhaft«, sagte ich. »Ich werde Anne um Verzeihung bitten.«

»Bist du ... eh ... bist du glücklich?«

»Aber ja«, sagte ich leichthin. »Und außerdem, wenn wir etwas zuviel Differenzen haben sollten, werde ich ein bißchen früher heiraten, das ist alles.«

Ich wußte, daß diese Lösung ihn kränken würde.

»Ich denke nicht daran, so etwas in Betracht zu ziehen... Du bist kein Schneewittchen... Könntest du es denn ertragen, mich schon so bald zu verlassen? Dann hätten wir nur zwei Jahre zusammen gelebt...«

Daran zu denken war mir genauso unerträglich wie ihm. Ich sah den Augenblick voraus, wo ich an seiner Schulter weinen und von verlorenem Glück und übertriebenen Gefühlen reden würde. Ich durfte mich nicht mitschuldig machen.

»Ich übertreibe sehr, weißt du. Im Grunde verstehen Anne und ich einander sehr gut. Wenn wir uns gegenseitig Konzessionen machen...«

»Ja«, sagte er, »sicherlich.«

Er dachte gewiß dasselbe wie ich: daß die Konzessionen wahrscheinlich nicht gegenseitig sein würden.

»Verstehst du«, sagte ich. »Ich bin mir völlig im klaren darüber, daß Anne immer recht hat. Ihr Leben ist sehr viel erfolgreicher als unseres, es hat viel mehr Sinn...«

Er machte unwillkürlich eine kleine Bewegung des Widerspruchs, aber ich ging darüber hinweg:

»... In ein oder zwei Monaten werde ich mir Annes Lebensanschauungen völlig angeeignet haben; es wird keine dummen Diskussionen mehr zwischen uns geben. Man muß nur etwas Geduld haben.«

Er blickte mich an, sichtlich aus der Fassung gebracht und erschrocken. Er verlor einen Komplicen für seine zukünftigen Streiche, und ein wenig verlor er auch seine Vergangenheit.

»Man muß nichts übertreiben«, sagte er etwas schwach. »Ich gebe zu, daß wir ein Leben geführt haben, das vielleicht weder deinem noch ... eh ... meinem Alter entsprach, aber war es deshalb ein dummes oder unglückliches Leben? – Nein. Im Grunde waren wir in diesen zwei Jahren nicht allzu ... eh ... traurig und auch nicht haltlos. Man muß nicht gleich alles verleugnen, weil Anne eine etwas andere Einstellung zu den Dingen hat.«

»Man muß nicht alles verleugnen, aber man muß verzichten«, sagte ich mit Überzeugung.

»So ist es«, sagte der arme Mann, und wir gingen hinunter.

Ohne jede Scham bat ich Anne um Verzeihung. Sie sagte, das sei nicht notwendig, und sicherlich trage die Hitze Schuld an unserer Auseinandersetzung. Ich war vergnügt und indifferent

Wie vereinbart, traf ich Cyril im Fichtenwald; ich gab ihm Verhaltungsmaßregeln. Er hörte mir mit einer Mischung aus Furcht und Bewunderung zu. Dann nahm er mich in seine Arme, aber es war schon zu spät, ich mußte wieder zurück. Ich war erstaunt, wie schwer es mir fiel, mich von ihm zu trennen. Wenn er nach einem Mittel gesucht hatte, mich an sich zu fesseln, so hatte er es gefunden. Ich spürte seinen Körper, erkannte ihn wieder und wurde mir meines eigenen Körpers bewußt, der an seinem aufblühte. Ich küßte ihn leidenschaftlich, ich wollte ihm ein Zeichen aufdrücken, damit er mich in keinem Augenblick dieses Abends vergessen könne, damit er nachts von mir träumen müsse. Denn die Nacht würde endlos sein ohne ihn, ohne seinen Körper am meinen, ohne sein Verstehen, seine jähe Leidenschaft und seine langen Zärtlichkeiten.

SECHSTES KAPITEL

Am nächsten Morgen veranlaßte ich meinen Vater, mit mir auf der Straße spazierenzugehen. Wir unterhielten uns gutgelaunt über nichtssagende Dinge. Auf dem Rückweg schlug ich ihm vor, durch den Fichtenwald zu gehen. Es war genau halb elf, ich war pünktlich. Mein Vater ging vor mir, denn der Weg war schmal und dicht mit Dornensträuchern bewachsen, die er zur Seite schob, damit ich mir nicht die Beine zerkratze. Als er stehenblieb, wußte ich, daß er sie gesehen hatte. Ich stellte mich neben ihn; Cyril und Elsa lagen schlafend auf den Fichtennadeln und boten ein Bild vollkommenen ländlichen Glücks. Ich hatte ihnen genaue Verhaltungsmaßregeln gegeben, aber als ich sie so sah, fühlte ich mich zerrissen. Konnte Elsas Liebe zu meinem Vater und Cyrils Liebe zu mir etwas daran ändern, daß sie beide schön, beide jung und einer dem anderen so nahe waren ...? Ich schaute verstohlen zu meinem Vater hinüber; er sah sie regungslos an, sein Blick war unnatürlich starr, und seine Wangen schienen unnatürlich blaß. Ich nahm seinen Arm.

»Wecken wir sie nicht, gehen wir.«

Er warf einen letzten Blick auf Elsa. Sie lag auf dem Rücken, in ihrer ganzen jungen Schönheit, braungebrannt und rothaarig, ein leichtes Lächeln auf den Lippen, das Lächeln einer jungen Nymphe, die sich endlich gefangen gibt... Er drehte sich auf dem Absatz um und ging mit großen Schritten davon.

»Dieses Luder«, murmelte er, »dieses Luder!«

»Warum sagst du das? Sie ist doch frei, nicht wahr?«

»Das ist es nicht! War es dir angenehm, Cyril in ihren Armen zu sehen?«

»Ich liebe ihn nicht mehr«, sagte ich.

»Ich auch nicht, ich liebe Elsa auch nicht mehr«, rief er wütend. »Aber es macht mir trotzdem etwas aus. Schließlich habe ich ja ... eh ... mit ihr gelebt! Das ist viel schlimmer ...«

Ich wußte, daß es schlimmer war! Er mußte genau wie ich das Verlangen gehabt haben, vorzustürzen, sie zu trennen, sich wieder zu nehmen, was ihm gehört hatte.

»Wenn Anne dich hören würde ...!«

»Was? Wenn Anne mich hören würde? Natürlich, sie würde es nicht verstehen, oder sie wäre schockiert, das ist normal. Aber du? Du bist meine Tochter, nicht wahr? Und du verstehst mich nicht mehr, du bist auch schockiert?«

Wie leicht es für mich war, seine Gedanken zu lenken. Ich war etwas erschrocken darüber, wie gut ich ihn kannte.

»Ich bin nicht schockiert«, sagte ich. »Aber man muß den Dingen schließlich ins Auge sehen: Elsa hat ein kurzes Gedächtnis, Cyril gefällt ihr, sie ist für dich verloren, besonders nach dem, was du ihr angetan hast. Das gehört zu den Dingen, die man nicht verzeiht ...«

»Wenn ich wollte«, begann mein Vater und hielt erschrocken inne ...

»Es würde dir nicht gelingen«, sagte ich mit Überzeugung, als sei es ganz natürlich, darüber zu sprechen, ob er Chancen habe, Elsa zurückzuerobern.

»Aber ich denke auch gar nicht daran«, sagte er, wieder vernünftig geworden.

»Gewiß«, sagte ich und zuckte mit den Achseln.

Dieses Achselzucken sollte heißen: ›Unmöglich, mein Armer, du bist aus dem Rennen ausgeschieden.‹ Er sprach den ganzen Weg nicht mehr mit mir. Als wir zu Hause waren, nahm er Anne in seine Arme und hielt sie ein paar Sekunden mit geschlossenen Augen fest. Sie ließ es lächelnd und erstaunt geschehen. Ich ging aus dem Zimmer auf den Gang hinaus und lehnte mich, zitternd vor Scham, an die Wand.

Um zwei Uhr hörte ich Cyrils leisen Pfiff und ging zum Strand hinunter. Er ließ mich gleich ins Boot steigen und fuhr ins offene Meer hinaus. Das Meer war völlig verlassen, kein Mensch dachte daran, bei dieser Hitze aus dem Haus zu gehen. Als wir auf offener See waren, zog er das Segel ein und wandte sich zu mir. Wir hatten kaum ein Wort gesprochen.

»Heute morgen ...« begann er.

»Sei still«, sagte ich, »oh, sei still ...«

Er legte mich sanft auf das Segeltuch zurück. Es war eng und unbequem, und wir glänzten vor Schweiß. Unter uns schwankte das Boot in einem gleichmäßigen Rhythmus. Ich sah die Sonne an, sie stand gerade über mir. Und plötzlich das gebieterische und zärtliche Flüstern Cyrils ... Die Sonne machte sich los, zersplitterte und fiel auf mich ... Wo war ich? Auf dem Grunde der See, auf dem Grunde der Zeit, auf dem Grunde der Lust ... Ich rief Cyril mit lauter Stimme, er antwortete mir nicht, er brauchte mir nicht zu antworten.

Und nachher die Frische des Salzwassers. Wir lachten zusammen, geblendet, träge, dankbar. Wir hatten die Sonne und das Meer, wir hatten Liebe und Gelächter. Würden wir sie jemals so wiederfinden wie in diesem Sommer, mit dem Glanz und der Kraft, die Angst und schlechtes Gewissen ihnen verliehen?

Außer dem physischen und sehr realen Vergnügen, das mir die Liebe bereitete, empfand ich auch eine Art von intellektueller Freude bei dem Gedanken an sie. Der Ausdruck »faire l'amour« hat einen eigenen Reiz, der, unabhängig von seinem Inhalt, in den Worten selber liegt. Die Verbindung des sachlichen und nüchternen Wortes »faire« mit dem abstrakten und poetischen »amour« entzückte mich. Ich hatte früher ohne die geringste Scheu, ohne die geringste Scham darüber gesprochen und nie bemerkt, welch besonderen Charme diese Formulierung besitzt. Und jetzt spürte ich, wie ich sittsam wurde Ich senkte die Augen, wenn mein Vater Anne etwas starr anblickte und wenn sie leise lachte, mit diesem neuen, kleinen, unanständigen Lachen, bei dem mein Vater und ich blaß wurden und aus dem Fenster blickten. Hätten wir Anne sagen sollen, wie ihr Lachen war? – Sie hätte uns nicht geglaubt. Sie verhielt sich meinem Vater gegenüber nicht wie eine Geliebte, sondern wie eine Freundin, eine zärtliche Freundin. Aber in der Nacht, bestimmt ... Ich untersagte mir derartige Vorstellungen, ich haßte schwüle Gedanken.

Die Tage vergingen. Ich vergaß ein wenig Anne und meinen Vater und Elsa. Die Liebe machte mich freundlich und ruhig, ich lebte, mit offenen Augen, in einer anderen Welt. Cyril fragte mich, ob ich nicht Angst hätte, ein Kind zu bekommen. Ich sagte, daß ich mich ganz auf ihn verließe, und er schien das völlig natürlich zu finden. Vielleicht hatte ich mich ihm deshalb so leicht gegeben, weil er mir das Gefühl gab, daß ich für nichts verantwortlich sei. Wenn ich ein Kind bekommen hätte, wäre er der Schuldige gewesen. Er übernahm das, was ich nicht ertragen hätte: die Verantwortung. Außerdem sah ich mich einfach nicht als werdende Mutter, mit diesem harten, mageren Körper, den ich hatte. Zum erstenmal war ich froh über meine Knabenhaftigkeit.

Aber Elsa wurde ungeduldig. Sie überhäufte mich mit Fragen. Ich hatte immer Angst, mit ihr oder Cyril überrascht zu werden. Sie richtete es so ein, daß sie meinem Vater ständig begegnete und ihm überall in den Weg lief. Dann wiegte sie sich im Glück eingebildeter Siege und seiner, wie sie meinte, nur mangelhaft unterdrückten Leidenschaft. Ich sah mit Staunen, wie dieses Mädchen, dessen Beruf es hart an die Grenze der käuflichen Liebe gebracht hatte, so romantisch wurde, so empfänglich für die Kleinigkeit eines Blickes, einer Bewegung — sie, die der knappen Sachlichkeit eiliger Männer ihre Erziehung verdankte. Es ist wahr, daß sie nicht daran gewöhnt war, die raffinierte Frau zu spielen, und ihre jetzige Rolle mußte ihr als der Höhepunkt psychologischer Spitzfindigkeit erscheinen.

Wenn mein Vater allmählich von dem Gedanken an Elsa besessen wurde, so schien Anne nichts davon zu bemerken. Er war besorgter und zärtlicher denn je, und das machte mir Angst, weil ich sein Verhalten unbewußten Gewissensbissen zuschrieb. Die Hauptsache war, daß innerhalb der nächsten drei Wochen nichts passierte. Wir würden nach Paris zurückkehren, Elsa auch; und wenn sie bei ihrem Entschluß blieben, würden mein Vater und Anne heiraten. Cyril wäre in Paris, und so wenig wie Anne mich hier daran hindern konnte, ihn zu lieben, würde sie mich in Paris hindern können, ihn zu sehen. In Paris hatte er ein eigenes Zimmer, er wohnte nicht bei seiner Mutter. Ich sah es vor mir: das offene Fenster, den blaurosa Himmel, diesen Himmel, den es nur in Paris gab, die gurrenden Tauben auf den Dachrinnen und Cyril und mich auf dem schmalen Bett . . .

SIEBENTES KAPITEL

Einige Tage später erhielt mein Vater ein paar Zeilen von einem unserer Freunde, der ihn aufforderte, ihn in St. Raphael zu einem Apéritif zu treffen. Er erzählte uns gleich davon und schien sehr froh, der freiwilligen und etwas gezwungenen Einsamkeit, in der wir lebten, auf ein paar Stunden zu entkommen. Ich teilte daraufhin Elsa und Cyril mit, daß wir um sieben Uhr in der »Bar du Soleil« sein würden. Unglücklicherweise kannte Elsa den betreffenden Freund, und das verstärkte ihren Wunsch zu kommen. Ich sah gewisse Komplikationen voraus und versuchte, sie davon abzuhalten. Aber es war umsonst.

»Charles Webb betet mich an«, sagte sie mit kindlicher Einfalt. »Wenn er mich sieht, wird er Raymond bestimmt mit allen Mitteln überreden, wieder zu mir zurückzukehren.«

Cyril war es völlig gleichgültig, ob er nach St. Raphael ging oder nicht. Die Hauptsache für ihn war, dort zu sein, wo ich war. Ich sah es an dem Ausdruck seiner Augen, und ich konnte nicht umhin, stolz darauf zu sein.

Wir brachen also am Nachmittag gegen sechs Uhr auf. Wir fuhren in Annes Auto. Ich liebte ihren Wagen. Es war ein schweres amerikanisches Kabriolett, das mehr ihren Repräsentationspflichten als ihrem Geschmack entsprach. Dagegen entsprach es dem meinen: voll von glitzernden Gegenständen, leise, eine Welt für sich, und fast zu weich in den Kurven. Noch dazu saßen wir alle drei vorn, und nirgends empfand ich so viel Freundschaft für andere Menschen wie in einem Auto. Alle drei vorn, die Ellenbogen eng aneinandergedrückt, erlebten wir die gleichen Freuden: Schnelligkeit und Wind – und vielleicht den gleichen Tod. Anne chauffierte, wie um zu versinnbildlichen, daß wir bald eine Familie sein würden. Ich war seit jenem Abend in Cannes nicht mehr in ihrem Wagen gefahren, und das machte mich nachdenklich.

In der »Bar du Soleil« trafen wir Charles Webb und seine Frau. Er beschäftigte sich mit Theaterreklame, seine Frau damit, das Geld, das er verdiente, wieder auszugeben, und zwar mit atemraubender Geschwindigkeit und für junge Männer. Er war völlig besessen von dem Zwang, genügend zu verdienen, und rannte ununterbrochen dem Geld nach. Daher kam sein unruhiges, gehetztes Wesen, das etwas Unanständiges an sich hatte. Er war lange Zeit Elsas Geliebter gewesen, denn sie war trotz ihrer Schönheit nicht besonders habgierig, und ihre Gleichgültigkeit auf diesem Gebiet hatte ihm gefallen.

Seine Frau war ein böses Geschöpf. Anne kannte sie nicht, und ich sah, wie ihr schönes Gesicht sehr schnell jenen verächtlichen und spöttischen Ausdruck annahm, der ihr unter Menschen zur Gewohnheit geworden war. Charles Webb redete wie gewöhnlich sehr viel, immer mit einem forschenden Blick auf Anne. Er zerbrach sich offensichtlich den Kopf darüber, was sie mit diesem Schürzenjäger Raymond und seiner Tochter zu tun habe. Ich dachte mit einem Gefühl von Stolz daran, daß er es sehr bald wissen würde.

Mein Vater neigte sich ein wenig zu ihm hinüber, als er wieder frischen Atem schöpfte, und erklärte unvermittelt:

»Ich habe eine Neuigkeit, mein Lieber: Anne und ich werden am 5. Oktober heiraten.«

Webb sah sie einen nach dem anderen an, stumm und starr vor Staunen. Ich amüsierte mich sehr. Seine Frau war völlig aus der Fassung gebracht. Sie hatte immer eine Schwäche für meinen Vater gehabt.

»Ich gratuliere«, rief Webb schließlich mit Stentorstimme. »Aber das ist ja eine herrliche Idee! Meine liebe gnädige Frau, daß Sie sich mit so einem leichtsinnigen Burschen belasten wollen! Sie sind göttlich! ... Kellner! ... Das muß gefeiert werden.«

Anne lächelte ruhig und gelöst. Und dann sah ich, wie Webbs Gesicht sich aufheiterte, und ich drehte mich nicht um.

»Elsa! Mein Gott, das ist Elsa Mackenbourg! Sie hat mich nicht gesehen. Raymond, hast du bemerkt, wie schön dieses Mädchen geworden ist?«

»Ja, nicht wahr?« sagte mein Vater wie ein glücklicher Besitzer.

Dann besann er sich, und sein Gesicht wechselte den Ausdruck.

Anne konnte die Betonung, mit der er das gesagt hatte, unmöglich nicht bemerkt haben. Sie wandte ihr Gesicht mit einer schnellen Bewegung von ihm zu mir. Als sie den Mund öffnete, um irgend etwas zu sagen, beugte ich mich zu ihr:

»Anne, Ihre Eleganz richtet Verheerungen an; da hinten ist ein Mann, der Sie nicht aus den Augen läßt.«

Ich hatte das in einem vertraulichen Ton gesagt, aber doch laut genug, damit es mein Vater hören konnte. Er drehte sich auch gleich lebhaft um und betrachtete den Mann, von dem die Rede war. »Das habe ich gar nicht gern«, sagte er und nahm Annes Hand.

»Sind sie nicht reizend!« sagte Madame Webb ironisch. »Charles, du hättest diese beiden Liebenden nicht stören sollen. Es hätte genügt, die kleine Cécile einzuladen.«

»Die kleine Cécile wäre nicht gekommen«, sagte ich unbeherrscht.

»Und warum nicht? Haben Sie Liebhaber unter den Fischern?«

Sie hatte mich einmal im Gespräch mit einem Autobusschaffner auf einer Bank gesehen, und seither behandelte sie mich wie jemanden, der gesellschaftlich deklassiert ist – oder jedenfalls das, was sie als »deklassiert« bezeichnete.

»O ja«, sagte ich mit Nachdruck, um fröhlich zu wirken.

»Und Sie halten es aus, mit diesen primitiven Männern beisammen zu sein?«

Zu allem anderen kam sie sich auch noch geistreich vor. Nach und nach geriet ich in Wut.

»Ich halte sie zwar nicht aus – aber ich halte es aus.«

Ein Schweigen entstand. Dann erklang Annes Stimme, ruhig wie immer.

»Raymond, könntest du den Kellner um einen Strohhalm bitten? Für Orangensaft braucht man unbedingt Strohhalme.«

Charles Webb knüpfte daran schnell ein Gespräch über erfrischende Getränke. Mein Vater kämpfte mit dem Lachen, ich sah es an der Art, wie er sich in sein Glas vertiefte. Anne warf mir einen flehenden Blick zu. Und gleich darauf beschlossen wir, miteinander zu dinieren, wie Leute, die sich um ein Haar zerstritten hätten.

Ich trank sehr viel während des Essens. Ich mußte Annes unruhigen Ausdruck vergessen, wenn sie meinen Vater ansah, und die unbestimmte Dankbarkeit in ihren Augen, wenn sie an mir hängenblieben. Wenn Webbs Frau eine ihrer spitzen Bemerkungen gegen mich machte, blickte ich sie mit einem strahlenden Lächeln an, und diese Taktik brachte sie aus der Fassung. Sie wurde schnell aggressiv. Anne machte mir ein Zeichen, mich nicht zur Wehr zu setzen. Sie haßte öffentliche Szenen und spürte, daß Madame Webb nahe daran war, eine zu machen. Mich störte das nicht, ich war daran gewöhnt. In unserem Milieu waren Szenen tägliches Brot. Deshalb hörte ich ihr auch ohne jede Gereiztheit zu.

Nach dem Essen gingen wir in eines der Nachtlokale von

St. Raphael. Kurz nach unserer Ankunft erschienen Elsa und Cyril. Elsa blieb an der Tür stehen, sprach sehr laut mit der Garderobiere und betrat, gefolgt von dem armen Cyril, den Saal. Ich fand, daß sie sich wie eine Kokotte benahm und nicht wie eine verliebte Frau, aber sie war schön genug, um es sich erlauben zu können.

»Wer ist dieser schmachtende Knabe?« fragte Charles Webb. »Er ist noch reichlich jung.«

»Das ist die Liebe«, gurrte seine Frau. »Die Liebe bekommt ihr . . .«

»So, glauben Sie!« sagte mein Vater heftig. »Es ist eine verrückte Laune, sonst nichts.«

Ich blickte auf Anne. Sie sah Elsa mit der gleichen ruhigen Unbefangenheit an, mit der sie die Mannequins, die ihre Kollektionen vorführten, oder sehr junge Frauen betrachtete: ohne jede Bitterkeit. Einen Moment lang bewunderte ich sie leidenschaftlich wegen ihrer Großzügigkeit und ihres Mangels an Eifersucht. Ich hätte übrigens nie verstanden, warum sie auf Elsa eifersüchtig sein sollte. Sie war hundertmal schöner und eleganter als Elsa. Und da ich beschwipst war, sagte ich es ihr. Sie sah mich neugierig an.

»Ich, schöner als Elsa? Findest du?«

»Ohne jeden Zweifel!«

»Das hört man immer gern. Aber du trinkst schon wieder einmal zuviel. Gib mir dein Glas. Macht es dich sehr traurig, deinen Cyril dahinten zu sehen? Übrigens langweilt er sich.«

»Er ist mein Geliebter«, sagte ich fröhlich.

»Du scheinst völlig betrunken zu sein. Zum Glück ist es Zeit, nach Hause zu gehen!«

Erleichtert verabschiedeten wir uns von den Webbs. Ich sagte sehr zerknirscht »liebe gnädige Frau« zu Madame Webb. Mein Vater setzte sich ans Steuer, und mein Kopf schwankte auf Annes Schulter hin und her.

Ich dachte daran, daß sie mir lieber war als die Webbs und lieber als alle die Leute, mit denen wir gewöhnlich verkehrten. Sie war besser, intelligenter und hatte mehr Würde. Mein Vater redete nicht viel. Sicherlich erlebte er in Gedanken noch einmal Elsas Auftritt.

»Schläft sie?« fragte er Anne.

»Wie ein kleines Mädchen. Sie hat sich verhältnismäßig gut benommen. Bis auf die Anspielung auf das ›Aushalten‹, die etwas zu deutlich war ...«

Mein Vater begann zu lachen. Schweigen. Dann hörte ich wieder die Stimme meines Vaters.

»Anne, ich liebe dich, ich liebe nur dich. Glaubst du mir?«

»Sag es mir nicht so oft, das macht mir Angst ...«

»Gib mir deine Hand.«

Fast hätte ich mich aufgerichtet und protestiert: »Nein, nicht während du über die Corniche fährst.« Aber ich war etwas zu betrunken, und das Parfüm von Anne, der Meerwind in meinem Haar, die kleine Wunde, die Cyril mir an der Schulter gemacht hatte, während wir uns liebten – so viele Gründe, um glücklich zu sein und zu schweigen. Ich schlief ein. Jetzt bestiegen Elsa und der arme Cyril wahrscheinlich mühselig das Motorrad, das ihm seine Mutter zu seinem letzten Geburtstag geschenkt hatte. Ich weiß nicht, warum mich das zu Tränen rührte. Das Auto war so weich, so gut gefedert, so geschaffen, um darin zu schlafen ... schlafen ... Madame Webb konnte jetzt sicher nicht einschlafen. In ihrem Alter würde ich zweifellos auch junge Männer dafür bezahlen, daß sie mich liebten, denn die Liebe ist süßer und lebendiger und vernünftiger als alle anderen Dinge. Und der Preis spielt keine Rolle. Wichtig war nur, daß man nicht bitter und eifersüchtig wurde wie Madame Webb auf Elsa und Anne. Ich begann leise zu lachen. Anne machte ihre Schulter noch etwas hohler. »Schlaf«, sagte sie streng. Und ich schlief ein.

ACHTES KAPITEL

Am nächsten Morgen wachte ich auf und fühlte mich, obgleich ich etwas zuviel getrunken hatte, völlig wohl. Ich war kaum müde, und nur mein Genick schmerzte etwas. Wie jeden Morgen war mein Bett in Sonne gebadet; ich schob die Decken zurück, zog meine Pyjamajacke aus und bot meinen nackten Rücken der Sonne dar. Mit der Wange auf meinem abgebogenen Arm liegend, sah ich im Vordergrund die groben Fäden des Leintuchs und weiter hinten, auf den Fliesen, die zögernden Bewegungen einer Fliege. Die Sonne war weich und warm, und ich hatte das Gefühl, als ob sie die Knochen unter meiner Haut berühre und sich besondere Mühe gebe, mich zu erwärmen.

Ich beschloß, den Morgen so zu verbringen, ohne mich zu bewegen.

Nach und nach wurde der gestrige Abend wieder in mir lebendig. Ich erinnerte mich daran, daß ich zu Anne gesagt hatte, Cyril sei mein Liebhaber, und darüber mußte ich lachen. Wenn man betrunken ist, sagt man die Wahrheit, und kein Mensch glaubt einem. Ich erinnerte mich auch an

Madame Webb und an unsere Auseinandersetzung. Ich war an diese Sorte Frauen gewöhnt; in diesem Milieu und in diesem Alter waren sie oft gehässig, weil sie nichts zu tun hatten und voller Lebensgier waren. Annes ruhige Ausgeglichenheit hatte Madame Webb in meinen Augen noch unzureichender und langweiliger erscheinen lassen als gewöhnlich. Das war übrigens vorauszusehen gewesen; es bestand nicht viel Hoffnung, daß irgendeine von den Freundinnen meines Vaters einem Vergleich mit Anne lange standhalten würde. Um mit diesen Leuten einen angenehmen Abend zu verbringen, mußte man entweder etwas betrunken sein oder Freude am Streiten haben, oder man mußte zu einem der Ehepartner intime Beziehungen unterhalten. Für meinen Vater war das einfacher: Charles Webb und er waren Schürzenjäger. »Rate, wer heute abend mit mir ißt und schläft? Die kleine Mars aus dem Film von Saurel. Ich gehe nachher zu Dupuis und ...« Mein Vater lachte und klopfte ihm auf die Schulter: »Glücklicher Bursche! Sie ist fast so schön wie Elise.« Gymnasiastengeschwätz. Aber das, was mich daran unterhielt, war, mit wieviel Erregung und Feuer sie darüber sprachen. Und selbst die traurigen Geständnisse von Lombard während endloser Abende auf der Terrasse eines Cafés: »Ich habe nur sie geliebt, Raymond! Erinnerst du dich an dieses Frühjahr, bevor sie wegfuhr ... Es ist blödsinnig, ein Männerleben für eine einzige Frau!« Daran war etwas Unanständiges, Demütigendes, aber zugleich auch Ergreifendes: zwei Männer, die sich ihre Herzen ausschütteten.

Annes Freunde sprachen sicher nie über sich selber. Sicherlich kannten sie diese Art von Abenteuern gar nicht. Oder wenn sie doch davon redeten, so taten sie es wahrscheinlich lachend, weil sie sich genierten. Ich war bereit, unsere Bekannten mit der gleichen Herablassung zu betrachten wie Anne – mit dieser liebenswürdigen und sehr ansteckenden Herablassung... Zugleich aber sah ich mich mit dreißig Jahren, wie ich viel mehr Ähnlichkeit mit unseren Freunden haben würde als mit Anne. Ihr Schweigen, ihre Gleichgültigkeit, ihre Zurückhaltung würden mich ersticken. Im Gegenteil, in fünfzehn Jahren würde ich mich etwas blasiert zu einem verführerischen, auch ein wenig müden und gelangweilten Mann vorneigen:

»Mein erster Liebhaber hieß Cyril. Ich war fast achtzehn Jahre alt, es war sehr heiß am Meer...«

Es machte mir Spaß, mir das Gesicht dieses Mannes vorzustellen. Er würde die gleichen kleinen Falten haben wie mein Vater.

Jemand klopfte an die Tür.

Ich schlüpfte hastig in meine Pyjamajacke und rief: »Herein!« Es war Anne; sie balancierte eine Tasse.

»Ich dachte mir, daß du ein wenig Kaffee brauchen kannst. Fühlst du dich sehr schlecht?«

»Nein, sehr gut«, sagte ich. »Ich glaube, ich war gestern etwas beschwipst.«

»Wie immer, wenn man mit dir ausgeht...« Sie lachte. »Aber ich muß zugeben, daß du mir ein wenig Zerstreuung verschafft hast. Der Abend war lang.«

Ich achtete nicht mehr auf die Sonne und nicht einmal mehr auf den Geschmack des Kaffees. Wenn ich mit Anne sprach, war ich völlig absorbiert, ich vergaß mich, hörte auf, mich zu beobachten. Und trotzdem war sie der einzige Mensch, der mich immer in Frage stellte und mich zwang, mich selber zu beurteilen. Sie ließ mich Augenblicke erleben, die schwierig und voller Spannung waren.

»Cécile, amüsierst du dich mit dieser Art von Leuten, den Webbs und den Dupuis?«

»Ich finde ihre Manieren meistens unerträglich, aber sie selber sind komisch.«

Sie sah auch der Fliege zu, die auf dem Fußboden herumkroch. Die Fliege ist sicher krank, dachte ich. Anne hatte lange, schwere Lider, es war leicht für sie, herablassend zu sein.

»Merkst du nie, wie unbeschreiblich monoton und – wie soll ich sagen – schwerfällig ihre Konversation ist? Diese Geschichten über Ehen, über Mädchen, über Gesellschaften, langweilt dich das nie?«

»Wissen Sie, Anne, ich war zehn Jahre lang in einem Kloster, und die Unmoral dieser Leute fasziniert mich noch immer.«

Daß sie mir gefiel, wagte ich nicht hinzuzufügen.

»Seit zwei Jahren ...«, sagte sie. »Es hat übrigens nichts mit Urteilsfähigkeit oder Moral zu tun, es ist eine Frage des Gefühls, des sechsten Sinnes ...«

Den schien ich nicht zu besitzen. Ich spürte deutlich, daß mir in dieser Beziehung etwas fehlte.

»Anne«, sagte ich unvermittelt, »halten Sie mich für intelligent?«

Sie begann, erstaunt über die Brutalität dieser Frage, zu lachen:

»Aber sicher, ich bitte dich! Warum fragst du mich das?«

»Wenn ich idiotisch wäre, hätten Sie mir genau die gleiche Antwort gegeben«, seufzte ich. »Sie geben mir oft das Gefühl, daß Sie mir weit überlegen sind ...«

»Das ist eine Frage des Alters«, sagte sie. »Es wäre schlimm, wenn ich nicht etwas mehr Selbstsicherheit hätte als du. Du würdest mich beeinflussen!«

Sie mußte sehr lachen. Ich war verletzt.

»Und Sie glauben, das wäre auf jeden Fall schlecht?«

»Es wäre eine Katastrophe«, sagte sie.

Sie gab plötzlich diesen leichten Plauderton auf und sah mir gerade ins Gesicht, in die Augen. Es machte mich befangen, ich konnte nicht stillhalten. Selbst heute kann ich mich noch nicht an diese Manie der Leute gewöhnen, einen starr anzublicken, wenn sie mit einem reden, oder ganz nah an einen heranzutreten, um sicher zu sein, daß man ihnen zuhört. Außerdem ist ihre Berechnung falsch, denn ich denke in diesen Fällen nur noch daran, wie ich ihnen entwischen und mich zurückziehen könnte; ich sage »ja, ja«, trete von einem Fuß auf den anderen und versuche alle möglichen Manöver, um an das andere Ende des Zimmers zu entfliehen. Die Wut packt mich über ihre Zudringlichkeit, ihre Indiskretion, über diesen Anspruch auf Ausschließlichkeit. Glücklicherweise fühlte Anne sich nicht verpflichtet, auf diese Art Besitz von mir zu ergreifen; sie begnügte sich damit, mich unverwandt anzublicken, und es wurde schwierig für mich, den von mir bevorzugten leichten, zerstreuten Plauderton beizubehalten.

»Weißt du, wie diese Sorte endet, die Sorte: Webb?«

›Und die Sorte: Raymond‹, dachte ich bei mir.

»In der Gosse«, sagte ich fröhlich.

»Es kommt eine Zeit, wo sie nicht mehr verführerisch und, wie man sagt, ›in Form‹ sind. Sie können nicht mehr trinken, und sie denken immer noch an Frauen; nur müssen sie sie jetzt bezahlen, und sie müssen viele kleine Demütigungen in Kauf nehmen, um ihrer Einsamkeit zu entfliehen. Sie machen sich lächerlich, sie sind unglücklich. Und diesen Zeitpunkt wählen sie sich aus, um sentimental und anspruchsvoll zu werden ... Ich habe viele gesehen, die auf diese Art elend verkommen sind.«

»Armer Webb!« sagte ich.

Ich war ratlos. So sah das Ende aus, das meinem Vater drohte! Das Ende, das ihm gedroht hätte, wenn Anne sich nicht seiner angenommen hätte.

»Du denkst nicht daran«, sagte Anne mit einem kleinen, mitleidigen Lächeln. »Du denkst wenig an die Zukunft, nicht wahr? Das ist das Vorrecht der Jugend.«

»Bitte, Anne«, sagte ich, »werfen Sie mir nicht meine Jugend vor. Ich mache so wenig Gebrauch von ihr wie möglich. Ich glaube nicht daran, daß sie mir ein Recht auf alle Privilegien gibt oder alles entschuldigt. Ich messe ihr keine Bedeutung bei.«

»Und welchen Dingen mißt du Bedeutung bei? Deiner Ruhe, deiner Unabhängigkeit?«

Ich fürchtete diese Art von Gesprächen, besonders mit Anne.

»Keinen«, sagte ich. »Ich denke nicht, wie Sie wissen.«

»Ihr geht mir ein bißchen auf die Nerven, du und dein Vater: ›Wir denken nie über irgend etwas nach . . . Wir sind zu nichts nütze . . . Wir wissen nichts . . .‹ Gefallt ihr euch sehr in dieser Rolle?«

»Ich gefalle mir gar nicht. Ich mag mich nicht, ich versuche gar nicht, mich zu mögen. Es gibt Augenblicke, in denen Sie mich dazu zwingen, mir mein Leben zu komplizieren, und das nehme ich Ihnen fast übel.«

Sie begann nachdenklich vor sich hin zu singen; ich erkannte die Melodie, aber mir fiel nicht ein, was für ein Lied es war.

»Was ist das für ein Lied, Anne? Es ärgert mich, daß . . .«

»Ich weiß es nicht.« Sie lächelte wieder – etwas entmutigt. »Bleib im Bett, ruh dich aus, ich werde meine Untersuchungen über den Geisteszustand der Familie woanders fortsetzen.«

›Natürlich, für meinen Vater war das einfach‹, dachte ich bei mir. Ich hörte ihn, wie er sagte: »Ich denke an nichts, Anne, weil ich dich liebe.« So intelligent sie war, mußte ihr das als eine ausreichende Erklärung erscheinen. Ich streckte und reckte mich, lang und sorgfältig, und vergrub mich wieder in mein Kopfpolster. Ich dachte viel nach, obwohl ich Anne gegenüber das Gegenteil behauptet hatte. Im Grunde »dramatisierte« sie bestimmt; in fünfundzwanzig Jahren würde mein Vater ein liebenswerter Sechziger sein, mit weißen Haaren und einer Vorliebe für Whisky und Erinnerungen aus seiner bunten Vergangenheit. Wir würden zusammen ausgehen, und zum Unterschied würde nun ich meine Abenteuer erzählen, und er würde mir Ratschläge geben. Ich merkte, daß ich Anne aus diesem Zukunftsbild ausgeschlossen hatte; ich konnte es nicht, es gelang mir nicht, sie einzubeziehen. In dem wilden Durcheinander unserer Wohnung, die einmal verödet, einmal überschwemmt mit Blumen war, die von Szenen und fremden Akzenten widerhallte und regelmäßig von Gepäckstücken überquoll, konnte ich mir die Ordnung, die Stille und die Harmonie nicht vorstellen, die Anne überall wie das wertvollste aller Güter mit sich trug. Ich hatte große Angst, mich tödlich zu langweilen, obgleich ich, seitdem ich Cyril wirklich und physisch liebte, ihren Einfluß sehr viel weniger fürchtete. Die Liebe hatte mich von vielen Ängsten befreit. Aber es gab nichts, das ich so scheute wie Ruhe und Langeweile. Um uns unsere innere Ruhe zu erhalten, brauchten mein Vater und ich ein unruhiges und bewegtes Leben. Und das würde Anne nicht zulassen.

NEUNTES KAPITEL

Ich spreche viel von Anne und von mir selber und wenig von meinem Vater; aber nicht, weil seine Rolle in diesem Drama nicht die wichtigste gewesen wäre oder weil er mir nicht am Herzen lag. Ich habe nie jemanden so geliebt wie ihn, und von allen Gefühlen, die mich damals beherrschten, waren meine Gefühle für ihn die dauerhaftesten, die tiefsten, die für mich wichtigtsen. Ich kenne ihn zu gut, um gern über ihn zu reden; er steht mir zu nahe. Und dabei müßte ich versuchen, gerade ihn verständlich zu machen, mehr als die anderen, damit man sein Verhalten begreifen kann. Er war weder ein eitler noch ein egoistischer Mensch. Aber er war leichtsinnig, unverbesserlich leichtsinnig. Ich kann ihn nicht einmal als einen Menschen bezeichnen, der keiner tieferen Empfindungen fähig war und kein Gefühl für Verantwortung hatte. Seine Liebe zu mir war ein ernst zu nehmendes Gefühl und nicht einfach eine väterliche Gewohnheit. Er konnte durch mich mehr leiden als durch irgend jemand anderen; und ich – wie grenzenlos verzweifelt war ich einmal, einzig und allein wegen dieser Geste, mit der er mich im Stich ließ, und seinem Blick, der sich von mir abwandte... Er hatte mich niemals wegen einer seiner Liebschaften vernachlässigt, ich kam für ihn immer zuerst. Um mich nach Hause zu begleiten, hatte er sich manchmal das, was Webb »sehr schöne Gelegenheiten« nannte, entgehen lassen. Aber ich kann nicht leugnen, daß er sich – mit dieser einen Einschränkung – seinem Vergnügen hingab, daß er unbeständig war und leichtfertig. Er dachte nicht nach. Er versuchte für alle Dinge eine physiologische Erklärung zu finden, die er dann als vernünftig bezeichnete: »Du fühlst dich elend? Schlafe mehr, trinke weniger.« Wenn er hie und da ein heftiges Verlangen nach einer Frau empfand, machte er es genauso; er dachte weder daran, es zu unterdrücken, noch redete er sich in ein verwickeltes Gefühl hinein. Er war ein Materialist, aber er war zartfühlend, verständnisvoll und im Grunde sehr gut.

Sein Verlangen nach Elsa verdroß ihn, aber nicht so, wie man glauben würde. Er sagte sich nicht: ›Ich werde Anne betrügen, also liebe ich sie nicht mehr so wie früher‹, sondern: ›Es ist sehr ärgerlich, daß ich Elsa begehre! Dem muß schnell abgeholfen werden, sonst werde ich Schwierigkeiten mit Anne haben.‹ Mehr noch: Er liebte Anne, er bewunderte sie, sie war anders als die frivolen und ein wenig törichten Frauen, mit denen er sich in den letzten Jahren eingelassen hatte. Sie befriedigte zugleich seine Eitelkeit, seine Sinnlichkeit und sein Gefühlsleben, denn sie verstand ihn, sie bot ihm ihre Intelligenz und ihre Erfahrung, an denen er seine eigenen messen konnte. Allerdings, ob er auch erkannt hatte, wie ernst und stark ihre Gefühle für ihn waren, dessen bin ich nicht so sicher! Sie erschien ihm als die ideale Geliebte und als eine ideale Mutter für mich. Ob er auch dachte: ›die ideale Ehefrau‹ – mit allen Verpflichtungen, die das mit sich brachte? Ich glaube nicht. Ich bin überzeugt, daß Cyril und Anne ihn für gefühlsmäßig anormal hielten, so wie mich. Aber daß er das Leben banal fand, hinderte ihn nicht daran, es leidenschaftlich zu genießen und mit aller Kraft zu erleben.

Ich dachte nicht an ihn, als ich den Plan faßte, Anne wieder aus unserem Leben zu verstoßen. Ich wußte, daß er sich trösten würde, wie er sich über alles tröstete. Ein Bruch würde ihm weniger schwerfallen als ein geregeltes Leben; wirklich treffen, wirklich zerrütten konnten ihn nur die Gewohnheit und das ewige Einerlei – genau wie mich. Wir gehörten zur gleichen Rasse, er und ich: zu der schönen, reinen Rasse der Nomaden. – Aber ich dachte nicht immer so, manchmal nannte ich sie auch: die arme, abgestumpfte Rasse der Genußmenschen.

Damals hat er gelitten, zumindest war er sehr erbittert: Elsa war für ihn zum Symbol der Vergangenheit, zum Symbol der Jugend, besonders seiner eigenen Jugend geworden. Ich spürte, wie leidenschaftlich gern er zu Anne gesagt hätte: »Liebste, entschuldige mich für einen Tag; ich muß zu diesem Mädchen gehen, um mir zu beweisen, daß ich noch kein Greis bin. Ich muß mich immer wieder vergewissern, daß ich ihres Körpers überdrüssig bin, um ruhig zu sein.« Aber er konnte ihr das nicht sagen; nicht weil

Anne eifersüchtig oder zu tugendhaft oder auf diesem Gebiet unzugänglich gewesen wäre, sondern weil sie offenbar nur unter den folgenden Bedingungen eingewilligt hatte, mit ihm zu leben: daß er seinen leichtsinnigen Lebenswandel aufgäbe, daß er aus einem Gymnasiasten zum Manne würde, dem sie ihr Leben anvertraute, und daß er sich infolgedessen gut benehmen müsse und nicht ein Sklave seiner Leidenschaften sein dürfe. Man konnte das Anne nicht vorwerfen; ihre Erwartungen waren völlig normal und gesund, aber das änderte nichts daran, daß mein Vater Elsa begehrte, daß er sie allmählich mehr begehrte als irgend etwas anderes, mit jener doppelten Leidenschaft, mit der man begehrt, was verboten ist.

Und zweifellos hätte ich zu jenem Zeitpunkt noch alles in Ordnung bringen können. Es hätte genügt, Elsa aufzufordern, ihm nachzugeben, und Anne unter irgendeinem Vorwand für einen Nachmittag mit nach Nizza oder sonstwohin zu nehmen. Bei unserer Heimkunft hätten wir meinen Vater entspannt und voll neuer Zärtlichkeit für die andere Liebe vorgefunden, die legal war oder es zumindest nach unserer Rückkehr sein würde. Natürlich, das war noch etwas, was Anne nie ertragen hätte: eine Geliebte gewesen zu sein wie die anderen – vorübergehend! Ihre Würde und Selbstachtung machten uns das Leben wirklich schwer.

Aber weder forderte ich Elsa auf, meinem Vater nachzugeben, noch bat ich Anne, mich nach Nizza zu begleiten. Ich wollte, daß die Begierde sich im Herzen meines Vaters ausbreitete und ihn einen Fehler begehen ließ. Ich konnte die Verachtung, mit der Anne unser früheres Leben abtat, nicht ertragen; es demütigte mich, daß sie verhöhnte, was für meinen Vater und mich das Glück gewesen war. Ich wollte sie auch nicht demütigen, ich wollte nur, daß sie unsere Einstellung zum Leben akzeptiere. Sie sollte wissen, daß mein Vater sie betrogen hatte, und sie sollte diese Untreue nach ihrem objektiven Wert beurteilen: als eine flüchtige, rein körperliche Liebschaft und nicht als einen Angriff auf ihren persönlichen Wert und ihre Würde. Wenn sie unter allen Umständen recht haben wollte, dann mußte sie uns die Freiheit lassen, unrecht zu handeln.

Ich gab mir sogar den Anschein, als ob ich keine Ahnung von den Qualen meines Vaters hätte. Er durfte sich mir auf keinen Fall anvertrauen, er durfte mich nicht zwingen, seine Komplicin zu werden, mit Elsa zu reden und Anne fortzulocken.

Ich mußte so tun, als ob ich seine Liebe zu Anne für etwas Heiliges hielte und sie selber für eine Heilige. Und ich muß sagen, daß mir das keinerlei Schwierigkeiten bereitete. Die Vorstellung, daß er Anne betrügen, daß er sie beleidigen könnte, erfüllte mich mit Schrecken und dumpfer Bewunderung.

Ich wartete ab, und inzwischen verlebten wir glückliche Tage. Ich sorgte dafür, daß sich immer mehr Gelegenheiten ergaben, meinen Vater durch Elsas Anblick zu erregen. Annes Gesicht erweckte keine Gewissenbisse mehr in mir. Manchmal bildete ich mir ein, daß sie sich mit allem abfinden würde und daß wir mit ihr ein Leben führen könnten, das sowohl ihrem als auch unserem Geschmack entsprach. Andererseits war ich oft mit Cyril beisammen, und wir liebten uns im Verborgenen. Der Geruch der Fichten, das Geräusch des Meeres, die Berührung unserer Körper... Er begann sich mit Vorwürfen zu quälen. Die Rolle, die ich ihm aufgezwungen hatte, war ihm verhaßt, und er spielte sie nur, weil ich ihn davon überzeugt hatte, daß sie für unsere Liebe notwendig war. Man mußte verschwiegen sein in diesem Spiel und doppelzüngig, aber es kostete so wenig Anstrengung, so wenig wirkliche Lügen! (Und nur meine Handlungen, wie ich schon gesagt habe, zwangen mich dazu, mich selber zu verurteilen.)

Ich gehe schnell über diese Periode hinweg, denn wenn ich zuviel in meinem Gedächtnis forsche, fürchte ich, auf Erinnerungen zu stoßen, die mich erdrücken. Schon jetzt genügt es, daß ich an Annes glückliches Lachen denke, daß ich daran denke, wie nett sie zu mir war, und es gibt mir einen Schlag, einen unangenehmen Tiefschlag, der mir wehtut und mir den Atem nimmt. Ich spüre, daß ich so nahe an dem bin, was man ein schlechtes Gewissen nennt, daß ich zu Gebärden Zuflucht nehmen muß: Ich zünde eine Zigarette an, ich lege eine Grammophonplatte auf oder telephoniere mit einem Freund. Nach und nach denke ich wieder an andere Dinge. Aber es ärgert mich, daß ich bei meinem schlechten Gedächtnis und meiner Oberflächlichkeit Hilfe suchen muß. Ich erkenne sie nur ungern an, auch dann, wenn sie mir willkommen sind.

ZEHNTES KAPITEL

Es ist seltsam, wie es dem Schicksal gefällt, sich unwürdige und mittelmäßige Masken auszusuchen, um uns darin gegenüberzutreten. In jenem Sommer hatte es sich Elsa als Maske gewählt. Eine sehr schöne Maske, wenn man will, eine anziehende Maske. Sie hatte auch ein ganz besonderes Lachen, ein sehr volles, ansteckendes Lachen, wie es nur Menschen haben, die ein bißchen dumm sind.

Dieses Lachen – ich bemerkte sehr bald, welche Wirkung es auf meinen Vater hatte, und veranlaßte Elsa, es soviel wie möglich zu gebrauchen, wenn wir sie mit Cyril »überraschten«. Ich sagte zu ihr: »Wenn Sie meinen Vater und mich kommen hören, sagen Sie nichts, aber lachen Sie.« Und wenn wir dann dieses überglückliche Lachen hörten, sah ich Leidenschaft in den Augen meines Vaters aufflackern. Ich wurde dieser Rolle eines Regisseurs nicht müde. Ich versäumte nie meinen Einsatz; denn wenn wir Cyril und Elsa zusammen sahen, wie sie offen ihre scheinbaren, aber so vollkommen wahrscheinlichen Beziehungen zur Schau trugen, erblaßte ich genau wie mein Vater. Das Blut wich aus meinem Gesicht wie aus dem seinen und wurde aufgesaugt von dem Verlangen zu besitzen, das quälender ist als Schmerz. Cyril, Cyril über Elsa geneigt ... Dieses Bild zerriß mir das Herz, und ich hatte es mit ihnen besprochen, ohne seine Macht zu begreifen. Worte sind einfach und geschmeidig; aber wenn ich Cyrils Profil sah und seinen weichen, braunen Nacken, der sich über Elsas zärtlich bereites Gesicht neigte, hätte ich alles, alles dafür gegeben, um es ungeschehen zu machen. Ich vergaß, daß ich selber es ja so gewollt hatte.

Abgesehen von diesen Zwischenfällen war unser tägliches Leben erfüllt von Annes Vertrauen, von ihrer Sanftheit und – es fällt mir schwer, dieses Wort zu gebrauchen – von ihrem Glück. Näher dem wirklichen Glück, als ich sie je gesehen hate, war sie uns ausgeliefert, uns, den Egoisten, und unsere heftigen Begierden und meine niedrigen kleinen Manöver waren ihr sehr fremd und sehr fern. Ich hatte sehr wohl damit gerechnet, daß sie zu stolz und zu gleichgültig wäre, um meinen Vater mit Hilfe irgendeiner Taktik noch enger an sich zu fesseln; ja, sie verzichtete sogar auf jede Koketterie außer der, schön, intelligent und zärtlich zu sein. Allmählich begann sie mir leid zu tun. Mitleid ist ein sehr angenehmes Gefühl und mitreißend wie Militärmusik. Man wird es mir nicht vorwerfen.

Eines schönen Morgens brachte mir das Stubenmädchen sehr aufgeregt ein paar Zeilen von Elsa, mit folgendem Inhalt: »Alles ist in Ordnung, kommen Sie!« Sie gaben mir das Gefühl einer nahenden Katastrophe. Ich hasse Entscheidungen. Dann traf ich Elsa am Strand mit einem triumphierenden Gesicht.

»Vor einer Stunde habe ich endlich Ihren Vater getroffen!«

»Was hat er gesagt?«

»Er hat gesagt, daß er das, was geschehen ist, unendlich bedauert; daß er sich wie ein Flegel benommen hat. Es ist ja wirklich wahr ... nicht?«

Ich glaubte ihr zustimmen zu müssen.

»Dann hat er mir Komplimente gemacht, wie nur er sie machen kann ... Wissen Sie, in einem etwas gleichgültigen Ton und mit leiser Stimme, als ob er darunter litte, sie zu machen ... Dieser Ton ...«

Ich riß sie aus den Wonnen ihrer idyllischen Erinnerungen.

»Und was wollte er damit erreichen?«

»Nun ... gar nichts! ... Das heißt doch: Er hat mich aufgefordert, im Dorf mit ihm Tee zu trinken, um ihm zu beweisen, daß ich ihm nichts nachtrage und daß ich großzügige und fortschrittliche Ansichten habe.«

Die Ansichten meines Vaters über die Fortschrittlichkeit junger, rothaariger Frauen amüsierten mich.

»Warum lachen Sie? Soll ich hingehen?«

Fast hätte ich ihr geantwortet, daß mich das nichts anginge. Dann wurde mir klar, daß sie mich für den Erfolg ihrer Manöver verantwortlich machte. Ob mit Recht oder Unrecht, es ärgerte mich. Ich hatte das Gefühl, in einer Falle zu sitzen.

»Ich weiß nicht, Elsa, das hängt von Ihnen ab; fragen Sie mich nicht immer, was Sie machen sollen. Wenn man

Sie hört, könnte man glauben, daß ich es bin, die Sie dazu treibt . . .«

»Aber Sie sind es doch auch«, sagte sie, »Ihnen ist es zu danken, Cécile . . .«

Die Bewunderung in ihrer Stimme machte mir plötzlich Angst.

»Gehen Sie hin, wenn Sie wollen, aber reden Sie nicht mehr über dieses Thema, ich bitte Sie!«

»Aber . . . aber, man muß ihn doch von dieser Frau befreien . . . Cécile!«

Ich floh. Mein Vater sollte machen, was er wollte. Anne sollte sich selber helfen! . . . Außerdem hatte ich ein Rendezvous mit Cyril. Es schien mir, als ob allein die Liebe mich von dieser saugenden Angst befreien könnte, die ich empfand.

Cyril nahm mich ohne ein Wort in seine Arme und führte mich fort. In seiner Nähe wurde alles einfach, und in allem war Leidenschaft und Lust. Etwas später lag ich ausgestreckt auf seiner sonnverbrannten Brust. Er war naß von Schweiß, und ich, ich war erschöpft, verloren wie eine Schiffbrüchige, und sagte, daß ich mich verabscheue. Ich sagte es lächelnd, denn ich meinte es ernst, aber ich empfand keinen Schmerz dabei, nur eine Art von angenehmer Resignation. Er glaubte es mir nicht.

»Das macht nichts. Ich liebe dich genügend, um dich von meiner Meinung zu überzeugen. Ich liebe dich, ich liebe dich so sehr . . .«

Der Rhythmus dieser Worte verfolgte mich während der

ganzen Mahlzeit: »Ich liebe dich, ich liebe dich so sehr.« Und deshalb erinnere ich mich trotz aller Bemühung nur noch sehr undeutlich an dieses Mittagessen. Annes Kleid war violett wie die Ringe unter ihren Augen, wie ihre Augen selber. Mein Vater lachte, offensichtlich entspannt. Die Dinge nahmen eine günstige Entwicklung für ihn. Bei der Nachspeise teilte er uns mit, daß er am Nachmittag im Dorf Besorgungen mache. Ich mußte heimlich lächeln. Ich war müde, fatalistisch. Ich wünschte nur, zu baden.

Um vier Uhr ging ich zum Strand hinunter. Auf der Terrasse begegnete ich meinem Vater, der im Begriff war, ins Dorf zu gehen. Ich sagte nichts, ich gab ihm noch nicht einmal den Rat, vorsichtig zu sein.

Das Wasser war weich und warm. Anne war zu Hause geblieben, sie mußte an ihrer Kollektion arbeiten. Sie saß in ihrem Zimmer und zeichnete Modelle, während mein Vater Elsa den Hof machte. Zwei Stunden später, als die Sonne mich nicht mehr erwärmte, ging ich wieder hinauf, setzte mich auf die Terrasse und öffnete eine Zeitschrift.

Und dann sah ich Anne. Sie kam aus dem Wald, sie lief schlecht und ungeschickt, mit angelegten Ellenbogen. Und plötzlich hatte ich den unangenehmen Eindruck, daß dort eine alte Dame lief und daß sie gleich niederfallen würde. Ich blieb völlig erstarrt sitzen. Sie verschwand hinter dem Haus in Richtung der Garage. Da begriff ich plötzlich, und auch ich begann zu laufen, um sie einzuholen.

Sie saß schon in ihrem Wagen und schaltete die Zündung ein. Ich lief bis zu ihr und warf mich gegen die Tür.

»Anne«, sagte ich, »Anne, fahren Sie nicht fort, es ist ein Irrtum, es ist mein Fehler, ich werde es Ihnen erklären . . .«

Sie hörte nicht auf mich, sie blickte mich nicht an und beugte sich vor, um die Bremse zu lösen.

»Anne, wir brauchen Sie!«

Da richtete sie sich auf, ihr Gesicht war verzerrt. Sie weinte. Und da begriff ich plötzlich, daß ich mich an einen Menschen herangewagt hatte, an einen lebendigen, empfindenden Menschen und nicht an ein abstraktes Wesen. Sie mußte einmal ein kleines, etwas verschlossenes Mädchen gewesen sein und dann ein Backfisch und dann eine Frau. Sie war vierzig Jahre alt, sie war allein, sie liebte einen Mann, und sie hatte gehofft, vielleicht zwanzig Jahre mit ihm glücklich zu sein. Und ich . . . dieses Gesicht, dieses Gesicht – das war mein Werk. Ich war außer mir, ich zitterte am ganzen Körper, klammerte mich an die Tür.

»Ihr braucht niemanden«, murmelte sie, »weder du noch er.«

Der Motor sprang an.

Ich war verzweifelt. So durfte sie uns nicht verlassen.

»Verzeihen Sie mir, Anne, ich flehe Sie an . . .«

»Dir, was soll ich dir verzeihen?«

Die Tränen rannen unentwegt über ihr Gesicht. Sie schien es nicht zu bemerken, sie weinte lautlos, regungslos.

»Mein armes kleines Mädchen! . . .«

Einen Moment legte sie ihre Hand an meine Wange, dann fuhr sie weg. Ich sah, wie das Auto hinter der Hausecke verschwand. Ich war verloren, verstört . . . Es war alles so schnell gegangen! Und der Ausdruck in ihrem Gesicht – dieses Gesicht . . .

Ich hörte Schritte hinter mir: Es war mein Vater. Er hatte sich Zeit genommen, um die Spuren von Elsas Lippenstift zu entfernen und die Fichtennadeln von seinem Anzug zu bürsten. Ich drehte mich um und warf mich gegen ihn.

»Du Schurke, du Schurke!«

Dann begann ich zu schluchzen.

»Aber was ist denn los? Ist Anne . . .? Cécile, sag mir, Cécile . . .«

ELFTES KAPITEL

Wir sahen einander erst wieder beim Abendessen. Wir hatten beide Angst vor diesem so plötzlich wiedergewonnenen Alleinsein. Ich konnte keinen Bissen essen, er auch nicht. Wir wußten beide, daß Anne unbedingt wieder zu uns zurückkehren mußte. Ich würde es nicht lange ertragen können: die Erinnerung an ihr verstörtes Gesicht, als sie wegfuhr, den Gedanken an ihren Schmerz und an meine Verantwortung. Meine geduldigen Manöver und meine sorgfältig ausgeheckten Pläne hatte ich vergessen. Ich war völlig aus der Bahn geworfen, ohne jeden Halt, und ich sah die gleichen Empfindungen auf dem Gesicht meines Vaters.

»Glaubst du«, sagte er, »daß sie uns für lange Zeit verlassen hat?«

»Sie ist sicher nach Paris gefahren«, sagte ich.

»Paris ...«, murmelte mein Vater verträumt.

»Vielleicht sehen wir sie nie mehr wieder ...«

Er blickte mich ratlos an und griff über den Tisch nach meiner Hand.

»Du mußt furchtbar böse auf mich sein. Ich weiß nicht, was mich gepackt hat. Als ich mit Elsa durch den Wald zurückging, hat sie ... Nun, ich habe sie geküßt, und Anne muß gerade in diesem Moment auf uns zugekommen sein und ...«

Ich hörte ihm nicht zu. Die beiden Gestalten von Elsa und meinem Vater, die sich im Schatten der Fichten umarmten, erschienen mir wie Figuren aus einer Posse, unwirklich und ohne Bedeutung, ich sah sie nicht. Das einzig Lebendige und grausam Lebendige an diesem Tag war Annes Gesicht, dieses letzte, vom Schmerz gezeichnete, dieses verratene Gesicht. Ich nahm eine Zigarette aus dem Paket meines Vaters und zündete sie an. Auch etwas, was Anne nicht zuließ: daß man mitten während der Mahlzeit rauchte. Ich lächelte meinem Vater zu:

»Ich verstehe sehr gut. Es ist nicht dein Fehler ... Ein Moment der Tollheit, wie man sagt. Aber Anne muß uns verzeihen, das heißt: dir verzeihen.«

»Was sollen wir tun?« sagte er.

Er sah sehr schlecht aus, ich hatte Mitleid mit ihm, und ich hatte Mitleid mit mir. Warum verließ uns Anne auf diese Weise, warum ließ sie uns so leiden, wegen eines einzigen, dummen Streiches? Hatte sie uns gegenüber keine Pflichten?

»Wir werden ihr schreiben«, sagte ich, »und sie um Verzeihung bitten.«

»Das ist eine geniale Idee«, rief mein Vater.

Endlich hatte er ein Mittel gefunden, diesen Zustand

von Untätigkeit zu beenden, in dem wir uns seit drei Stunden das Gewissen zermarterten.

Ohne fertigzuessen, schoben wir das Tischtuch und die Teller zurück; mein Vater holte eine große Lampe, den Federhalter, ein Tintenfaß, sein Briefpapier, und wir setzten uns einander gegenüber an den Tisch, beinahe lächelnd, so wahrscheinlich erschien uns plötzlich Annes Rückkehr dank dieser Inszenierung. Vor dem Fenster beschrieb eine Fledermaus ihre seidigen Kurven. Mein Vater neigte den Kopf und begann zu schreiben.

Ich kann nicht ohne ein unerträgliches Gefühl grausamen Hohnes an die Briefe denken, die wir an jenem Abend geschrieben haben und die so übervoll von guten Gefühlen waren. Wir saßen beide unter der Lampe wie zwei Schüler, emsig und ungeschickt, und arbeiteten schweigend an der unmöglichen Aufgabe: Anne zu versöhnen. Und wir brachten wirklich zwei Meisterwerke in ihrer Art zustande, voll von guten Entschuldigungsgründen, von Zärtlichkeit und von Reue. Als ich fertig war, war ich beinahe überzeugt, daß Anne ihnen nicht widerstehen könnte und daß die Versöhnung unmittelbar bevorstünde. Ich sah schon die Szene der Vergebung vor mir, unsere Scham und unseren Humor . . . Der Ort der Handlung würde unser Salon in Paris sein. Anne würde hereinkommen und . . .

Das Telephon läutete. Es war zehn Uhr abends. Wir tauschten einen Blick, erstaunt, dann voller Hoffnung: Das war Anne; sie telephonierte, daß sie uns verziehen habe, daß sie zurückkäme. Mein Vater stürzte zum Telephon und rief mit freudig erregter Stimme: »Hallo.«

Dann sagte er nichts mehr als: »Ja, ja! Wo ist das? Ja.« – mit fast unhörbarer Stimme. Ich stand auf. Angst durchflutete mich. Ich blickte auf meinen Vater und seine Hand, die mit einer mechanischen Bewegung über sein Gesicht fuhr. Dann legte er leise den Hörer auf und drehte sich zu mir um.

»Sie hat einen Unfall gehabt«, sagte er. »Auf der Straße durch den Estérel. Sie haben lange gebraucht, um ihre Adresse ausfindig zu machen! Sie haben mit Paris telephoniert, und dort hat man ihnen unsere Nummer hier gegeben . . .«

Seine Worte kamen mechanisch, ohne Betonung, und ich wagte nicht, ihn zu unterbrechen.

»Der Unfall ist an der gefährlichsten Stelle passiert. Anscheinend sind dort schon viele Unfälle vorgekommen. Der Wagen ist fünfzig Meter tief abgestürzt. Es wäre ein Wunder gewesen, wenn sie es überlebt hätte . . .«

An den Rest dieser Nacht erinnere ich mich wie an einen Alptraum. Die Straße, die im Licht der Scheinwerfer auftauchte, das unbewegliche Gesicht meines Vaters, die Tür der Klinik . . . Mein Vater wollte nicht, daß ich sie noch einmal sah. Ich saß auf einer Bank im Wartezimmer und betrachtete eine Lithographie, die Venedig darstellte. Ich dachte an nichts. Eine Krankenschwester erzählte mir, daß es seit Beginn des Sommers der sechste Unfall an dieser Stelle sei. Mein Vater kam nicht zurück.

Dann dachte ich, daß Anne sich uns auch noch durch ihr Sterben überlegen zeigte. Wenn mein Vater und ich uns das Leben genommen hätten – vorausgesetzt, wir hätten überhaupt den Mut dazu gehabt –, dann mit einer Kugel durch den Kopf und unter Hinterlassung einiger erklärender Zeilen, die dazu bestimmt gewesen wären, die Ruhe und den Schlaf der dafür verantwortlichen Menschen für immer zu stören. Aber Anne hatte uns ein kostbares Geschenk gemacht. Sie hatte uns die ungeheure Chance gelassen, an ein Unglück zu glauben: eine gefährliche Stelle, die schlechte Straßenlage ihres Wagens. Wir würden sehr bald schwach genug sein, dieses Geschenk anzunehmen. Es kommt mir recht phantastisch vor, wenn ich heute von einem Selbstmord rede. Kann man sich denn wegen Geschöpfen wie meinem Vater und mir das Leben nehmen, wegen Geschöpfen, die keinen Menschen brauchen, weder tot noch lebendig? Mein Vater und ich haben übrigens immer nur von einem Unfall gesprochen.

Am nächsten Tag kamen wir gegen drei Uhr mittags wieder nach Hause. Dort erwarteten uns Elsa und Cyril, auf den Stufen der Treppe sitzend. Sie erschienen uns wie zwei wunderliche, vergessene Gestalten; keiner von beiden hatte Anne gekannt, keiner hatte sie geliebt. Da standen sie nun mit ihren kleinen Liebesgeschichten und mit dem doppelten Reiz ihrer Schönheit und ihrer Verlegenheit. Cyril machte einen Schritt auf mich zu und legte seine Hand auf meinen Arm. Ich blickte ihn an: Ich hatte ihn nie geliebt. Ich hatte ihn nett und anziehend gefunden. Ich hatte die Lust geliebt, die er mir gab; aber ich brauchte ihn nicht. Ich würde fortgehen und alles verlassen, dieses Haus und diesen Knaben und diesen Sommer. Mein Vater war bei mir, er nahm mich beim Arm, und wir gingen ins Haus.

Im Haus waren Annes Jacke, ihre Blumen, ihr Zimmer, ihr Parfüm. Mein Vater schloß die Läden; er nahm eine Flasche Wein aus dem Eisschrank und zwei Gläser. Es war das einzige Heilmittel, das uns zu Gebote stand. Unsere Entschuldigungsbriefe lagen noch auf dem Tisch. Ich gab ihnen einen Stoß mit der Hand, und sie flatterten auf den Fußboden. Mein Vater, der mit einem vollen Glas auf mich zukam, zögerte und vermied es dann, darauf zu treten. Ich sah darin ein Symbol und fand es geschmacklos. Ich nahm das Glas in meine beiden Hände und stürzte es auf einen Zug hinunter. Das Zimmer lag im Halbdunkel, ich sah den Schatten meines Vaters vor dem Fenster. Das Meer schlug gegen den Strand.

ZWÖLFTES KAPITEL

Dann kam Paris: die Beerdigung bei strahlendem Sonnenschein, eine neugierige Menge, schwarze Trauerkleider. Mein Vater und ich drückten die Hände von Annes alten Verwandten. Ich betrachtete sie voll Neugier. Sicher hätten sie einmal im Jahr bei uns Tee getrunken. Mein Vater wurde mitleidig angeschaut. Webb schien die Neuigkeit von der bevorstehenden Heirat verbreitet zu haben. Ich sah Cyril, der beim Ausgang nach mir suchte. Ich ging ihm aus dem Weg. Der Groll, den ich gegen ihn hegte, war völlig unberechtigt, aber ich konnte ihn nicht unterdrücken ...

Die Leute um uns her beklagten dieses dumme und entsetzliche Geschehnis, und da ich noch immer ein wenig daran zweifelte, daß dieser Tod ein Unfall gewesen war, freute mich das.

Auf dem Rückweg im Auto nahm mein Vater meine Hand und drückte sie. Ich dachte: ›Du hast nur noch mich, und ich habe nur noch dich, wir sind allein und unglücklich.‹ Und zum erstenmal weinte ich. Es waren angenehme Tränen; sie hatten nichts gemein mit jener Leere, jener grauenhaften Leere, die ich im Spital vor der Lithographie von Venedig empfunden hatte. Mein Vater reichte mir wortlos sein Taschentuch, sein Gesicht war verwüstet.

Einen Monat lang haben wir wie ein Witwer und eine Waise gelebt. Wir haben abends zusammen gegessen und mittags zusammen gegessen und sind nicht ausgegangen. Manchmal sprachen wir ein wenig über Anne: »Erinnerst du dich noch an den Tag, als ...« Wir redeten mit großer Vorsicht über sie, mit abgewandten Augen, aus Angst, einander weh zu tun, oder weil wir fürchteten, daß sich bei einem von uns plötzlich etwas lösen könnte und er Dinge sagen würde, die nicht wieder gutzumachen wären.

Diese gegenseitige Vorsicht und liebevolle Rücksichtnahme blieben nicht unbelohnt. Bald konnten wir in einem völlig normalen Ton über Anne reden wie über einen lieben Menschen, mit dem wir glücklich gewesen waren und den Gott nun zu sich zurückgerufen hat. Ich schreibe »Gott« anstatt »Zufall«; aber wir glaubten nicht an Gott. Wir konnten uns schon glücklich schätzen, unter diesen Umständen an einen Zufall zu glauben.

Und dann traf ich eines Tages bei einer Freundin einen ihrer Cousins, der mir gefiel und dem ich gefiel.

Eine Woche lang ging ich mit ihm aus, häufig und unbedacht, wie immer am Anfang einer Liebe, und mein Vater, der nicht zum Alleinsein geschaffen war, tat das gleiche mit einer ziemlich ehrgeizigen jungen Frau. Unser Leben begann wieder wie früher, wie es nicht anders zu erwarten gewesen war.

Wenn mein Vater und ich einander begegnen, lachen wir und sprechen über unsere Eroberungen. Er ahnt sicher, daß meine Beziehungen zu Philippe nicht rein platonischer Natur sind, und ich weiß genau, daß seine neue Freundin ihn sehr viel Geld kostet.

Aber wir sind glücklich.

Der Winter geht seinem Ende zu, wir werden nicht wieder die gleiche Villa mieten, aber eine andere, in der Nähe von Juan-les-Pins.

Nur im Morgengrauen, wenn ich in meinem Bett liege und nichts höre als das Geräusch der Autos in den Straßen von Paris, wird mein Gedächtnis mir manchmal zum Verräter: Der Sommer kehrt wieder mit all seinen Erinnerungen. »Anne, Anne!« Immer wieder sage ich diesen Namen sehr leise und lange Zeit ins Dunkel hinein. Dann steigt etwas in mir auf, das ich mit geschlossenen Augen empfange und bei seinem Namen nenne: Traurigkeit – komm, Traurigkeit.

ULLSTEIN BÜCHER

---

44 HERBERT TICHY / *Die Wandlung des Lotos*
45 PAUL CLAUDEL / *Der Strom. — Ausgewählte Prosa*
46 CONTE CORTI / *Der Zauberer von Homburg und Monte Carlo*
47 VICKI BAUM / *Menschen im Hotel*
48 ALEXANDER LERNET-HOLENIA / *Jo und der Herr zu Pferde*
49 JEROME K. JEROME / *Drei Mann in einem Boot*
50 DAPHNE DU MAURIER / *Meine Cousine Rachel*
51 O. HENRY / *Kohlköpfe und Könige*
52 WILHELM H. WESTPHAL / *Deine tägliche Physik*
53 RENÉ FÜLÖP-MILLER / *Sankt Franziskus — der Heilige der Liebe*
54 GOTTFRIED BENN / *Provoziertes Leben. — Ausgewählte Prosa*
55 V.-M. VON WINTER / *Die Menschentypen*
56 ERICH MARIA REMARQUE / Im Westen nichts Neues
57 DASHIELL HAMMETT / *Der Malteser Falke Kriminalroman*
58 WINSTON S. CHURCHILL / *Reden*
59 RAYMOND CHANDLER / *Einer weiß mehr Kriminalroman*
60/61 ALFRED DÖBLIN / *Berlin Alexanderplatz*
62 DOROTHY L. SAYERS / *Es geschah im Bellona-Klub Kriminalroman*
63 WERNER BERGENGRUEN / *Die Zwillinge aus Frankreich*
64 SAMUEL W. TAYLOR / *Der Mann mit meinem Gesicht Kriminalroman*
65 ALBERT EINSTEIN / *Mein Weltbild*
66 MARY O'HARA / *Mein Freund Flicka*
67 FRANCIS ILES / *Vorsätzlich . . . Kriminalroman*
68 MAX J. FRIEDLÄNDER / *Von Kunst und Kennerschaft*
69 WALTHER VON HOLLANDER / *Das Leben zu Zweien*
70 STEPHEN RANSOME / *Lydia soll sterben Kriminalroman*
71 MARCEL PROUST / *Tage der Freuden*
72 RICHARD ESSEX / *Lesley mit der leichten Hand Kriminalroman*
73 GEORG GERSTER / *Eine Stunde mit . . .*
74 PHILIP MACDONALD / *Ein Amerikaner in London Kriminalroman*

75 ANNEMARIE SELINKO / *Heute heiratet mein Mann*
76 VICKI BAUM / *Rendezvous in Paris*
77 CARSON McCULLERS / *Das Mädchen Frankie*
78 MAURICE MAETERLINCK / *Das Leben der Termiten*
79 JACOB BURCKHARDT / *Weltgeschichtliche Betrachtungen*
80 ORVAR JOSEPHSSON / *Kleine Wirtschaftskunde*
81 P. G. WODEHOUSE / *Psmith macht alles*
82 GEORG VON DER VRING / *Spur im Hafen Kriminalroman*
83 EVELYN WAUGH / *Die schwarze Majestät*
84 HEINRICH BÖLL / *Wo warst du, Adam?*
85 FRANÇOIS MAURIAC / *Die schwarzen Engel*
86 WILLIAM SAROYAN / *Wesley's Abenteuer*
87 WILLIAM FAULKNER / *Die Freistatt*
88 RENÉ SCHICKELE / *Meine Freundin Lo*
89 THEODOR FONTANE / *Irrungen, Wirrungen*
90 GÜNTER MUSSGNUG / *Medizinisches Lexikon für jedermann*
91 WILLA CATHER / *Der Tod kommt zum Erzbischof*
92 LEOPOLD ZAHN / *Kleine Geschichte der modernen Kunst*
93 WALTER URBANEK / *Deutsche Lyrik*
94 RAYMOND CHANDLER / *Der tiefe Schlaf Kriminalroman*
95 HORST WOLFRAM GEISSLER / *Sie kennen Aphrodite nicht!*
96 EDZARD SCHAPER / *Untergang und Verwandlung*
97 REX STOUT / *Gast im dritten Stock. Kriminalroman*
98/99 DAPHNE DU MAURIER / *Des Königs General*
100 JOHANNES VON GUENTHER / *Unsterbliches Saitenspiel*
101 THE GORDONS / *FBI-Akten. Kriminalroman*
102 ERICH KÄSTNER / *Fabian*
103 MECHTILDE LICHNOWSKY / *Delaïde*
104 FRANK ARNAU / *Pekari Nr. 7. Kriminalroman*
105 DASHIELL HAMMETT / *Bluternte. Kriminalroman*
106 KNUT HAMSUN / *Vom großen Abenteuer*
107 JEAN GEBSER / *Abendländische Wandlung*
108 GEOFFREY HOUSEHOLD / *Der Gehetzte Kriminalroman*
109 RAYMOND CHANDLER / *Der lange Abschied Kriminalroman*
110 FRANS EEMIL SILLANPÄÄ / *Sonne des Lebens*